JN245039

揺籃社

改訂新版

大学生・新社会人のための

ニュース解体深書

―― 多様化する現代社会を
メディアと生きる ――

大重史朗

Oshige Fumio

もくじ

【はじめに】

改訂新版刊行にあたって

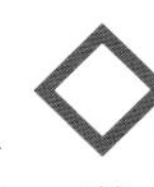

学生が「新聞を読まない」のは親が読まなくなっているから

前回の初版発行の２０１5年から約7年が経過した。これまでの間、超大型台風や酷暑などの自然災害が多発し、日本を取り巻く気候も地球温暖化の影響ともみられる災害が増え、大地震だけが不安要素ではなくなった。また、世界的なコロナウイルスの蔓延は、２０２０年の前半から始まり、同年に予定されていた東京五輪・パラリンピックの開催までが翌年に延期される事態となった。本書発刊のための編集・製作作業に入りはじめた２０２２年初頭においてもコロナウイルスは変異株が増殖し、感染者数も大幅に増え、いつ収まるのかわからない状態が続いている。「ＷＩＴＨコロナ」として学業や仕事を続けていくことが、今後も想定されている。

そうした中で、初版の序章でも触れたことだが、学生や若手の社会人の人たちと話をすると、ほとんど新聞などを読んでいないことがよくわかる。かつては親と同居していれば、必ず親が最低1紙は新聞を定期購読していたので、自宅にいれば新聞に接することができた。また、日本経済新聞を読めるようになってこそ、社会人として「一人前」であるとみなされた時代もあった。

しかし、現在ではスマートフォン中心の生活が続き、長らく続いた不況の影響で、スマートフォンの通信料を支払うことを優先するあまり、その分、家庭では新聞の定期購読などという概念自体がなくなってしまったようだ。大学受験生を抱えた家庭でも、保護者が新聞を定期購読しないのが当たり前の時代になっているらしい。

しかし、東京都心部の、東京メトロの丸の内線や銀座線の中では、相変わらず若いビジネスパーソンでも日本経済新聞を電子版などで読んでいる光景をたまにではあるものの目にするので、頼もしく感じている。タブレットやスマートフォンを一生懸命眺めているので、相変わらずアニメやゲームをみているのだろうとさりげなく覗いてみると、日経電子版だったりすることが「たまに」ある。

新聞「紙」は年々発行部数を減らしているが、元新聞記者としての筆者自身は、「新聞紙」がなくなってもジャーナリズムは民主主義の日本の社会には必要不可欠ではないかと思っている。なぜなら新聞は「社会との接点」であり、社会の情報を知ることは、社会の権力構造をチェックすることにつながるからだ。

新聞報道は社会との「接点」のはず

新聞の書かれていることや紙面のレイアウトなどは、どの新聞も同じように見えるが、記者とて人間である限り、同じ現場にいた記者たちが書いたとしても少しずつ違いがみえるのが普通だ。新聞よりスマートフォンを優先する時代であることは否めないが、社会問題を取り上げる新聞報道は、政治や経済、外交など、社会問題やスポーツといった比較的インターネットのニュースでよく読まれる話題以外の時事問題を網羅して把握できるという点からも、社会との「接点」であることは否定できないはずだ。

とくに昨今はインターネットのブログやＳＮＳ（ソーシャル・ネットワーキング・サービス）を利用して、誰もが意見や主張、自分の身の回りの出来事を気軽に発信できるようになった。その上、新聞社による誤報が少なからず流れてしまうと、結局、国民は「情報の荒波」に呑み込まれてしまうことになる。人々には「何を信じてよいのか」「このニュースはどういう意味があるのか」といった疑問が付きまとうことになり、「新聞とて本当のことを伝達していないではないか」と新聞不信になってしまう、という図式も考えられる。そういう観点から、ニュースを読み解く力を若いうちからつけることが、とても必要になっている時代なのではないか。

確かに、インターネットさえあれば、ニュースサイトのニューストピックスをはじめ、「ニュース」という情報だけはクリック一つで一読できる時代だ。しかし、ニュースを扱いながら大学などで授業をしていると、若い世代、いわゆるスマホ世代ほど、前述したように「好きなニュース」しか興味をもって「クリック」しないことがわかってきている。私が教えている大学の受講生約１００人に数年前にアンケートをとったところ、興味のあるニュースの分野は「社会」と「スポーツ」欄で、それ以外はほとんど興味がないようだった。

そこで、本書の私の文章は、誰が読んでもわかりやすく社会が分析できることを念頭において書いており、むしろ学生の皆さんや担当部署に関係なく新社会人の人たちにも目に触れて欲しいと常々考えているテーマばかりである。

構成は前回より少し変え、「第1講」と「第2講」の2部構成とした。「第1講」は2017年に揺籃社から発刊した拙著『実践メディアリテラシー――〝虚報〟時代を生きる力――』の「第1講」を再編集し、現代社会に即して改変した内容である。そして「第2講」は2019年以降、私が信用調査会社発行の機関誌のコラム欄に書かせていただいた文章を再構成し、やはり現代社会の現状を追加して編集しなおした内容となっている。

そもそも新聞はどのような種類があり、どのように作られているか、といった基本的な情報や、「新聞とてすべて正しいことばかりが書かれてあるとは限らない」ということを念頭に、皆さんが疑問をもったり、自分で調べてみようとするきっかけを作ったりするのが新聞であることを知ってもらうために執筆したのが「第1講」だ。

そして、ある日、あるいは一定の時期のニュースをまとめて取り上げ、「この話題にはこうした背景がある」ということを、扱うテーマを一回ごとに限定して解説しているのが「第2講」である。文体は初版で「です」「ます」体であったのに対し、今回は「～だ」「～である」調にしてある。文章自体はコラムレベルの軽いタッチで書いたものの、就職活動の小論文や授業でのレポートなどでも「この程度は書けてほしい」「こういう話題でもこのように取り上げることができる」という読者へのメッセージも込めて、「序論」「本論」「結論」という小論文の構成をとった次第である。

タイトルについては、一つのテーマを掘り下げて追及することを忘れないという視点から、初版同様、「解体新書」ではなく「深書」とあえて書き直した。

前述したが、私は現在、首都圏の大学や予備校などでも教鞭をとっている。「新聞を毎日読もう」と掛け声をかけるのは簡単だが、前述したような社会背景もあり、新聞購読自体が困難であり、仮に購読していても「どこをどう読めばいいのか」という疑問が読者、とくに若い世代の人たちに付きまとっている様子だ。

本書が、大学生の皆さんや若手ビジネスパーソンが現代社会を理解する上で、メディア、とくに新聞記事を前提に調べたり、考えたりして、自分の意見をまとめる指針になればと考えている。

なお、レポートなどで何か書物を引用したり参考にしたりする際、出典を明記することは大前提であり、各大学などでもレポートや卒業論文提出に向けて指導されていることと思う。ただし、本書では、その時期であれば大半の報道機関が同じようなニュースを扱っていたという過去を振り返る話題を中心に「(当時の)報道によると」といった表現を用いた。その上で、あえてその新聞社独自の内容だった場合に限り、報道の日付や新聞の固有名詞を載せてあることをお断りしておきたい。

2022年4月吉日

著者　大重　史朗

【第１講】

ジャーナリズム（報道）は衰退しない

日本は法治国家であり、立法・司法・行政といった三権分立が確立されている。しかし、これらは権力をもっており、国の政治や政治家、行政や法曹関係者に加え、例えば電気やガス、水道、場合によっては鉄道やインターネットなど、私たちの命や日々の生活に直結する「ライフライン」を扱う大企業を含めた、広い意味での「権力者」「権力機構」に対するチェック機能が必要である。とくに国や地方を動かしている予算は私たちの税金だ。政治家の給料はもとより、政務調査費も税金であり、それらは本当に国民のために正しく使われているのか、大企業が行うことは国民生活をかえって不便にしていないかなど、チェック機能を果たすのがメディア、その中でもとくにジャーナリズム・報道の役割だ。

以下、ジャーナリズムを構成する機関やその社会的役割はどのようなものがあるのかについて、考えていきたい。

1 新聞にはどのような種類があるのか

新聞は「社会との接点」であるという立場が、現在発行されている一般新聞の特徴とされている。しかし、一般の定期購読者は減少を続け、定期購読者層は高齢化しているのが現状である。また、同じ全国紙といっても、新聞が違えば社説（新聞社の論説）の内容が違うことが多々ある。さらに、同じニュース素材を扱っていても視点や伝え方の切り口が違うこともある。これだけインターネットの情報があふれかえっている時代に、私たちが生活していく上で、あるいは勉強や仕事である一定の判断を迫られる際に何を信じてよいのか、メディアリテラシーを学ぶ重要性は益々増している。そこで、本項ではまず、新聞にはどのような種類があるか確認しておきたい。

新聞は対象読者や記事の内容、発行される間隔や時刻（日刊、夕刊、週刊、月刊など）、判型や配布地域（全国か地域別か）、発行目的、つまりはどういった人々を対象に出されているのか（一般読者向け、経済専門家、地域の住民、特定の大学関係者、特定の政党支持者、特定の宗教関係者など）、発行の主体（民間企業か政党や宗教関連など特定の団体なのかなど）、また、有料か無料かなどの視点でさまざまな分類ができる。

例えば、一般紙と専門紙の違いは何か。不特定多数の大衆を対象とする一般紙に対して、限定された人々、一定の特徴を示す枠組みに限定した人々を対象とするのが専門紙である。

まず、新聞の典型的なものとして、政治や経済、社会、文化、スポーツ、科学・医療部門などを中心に幅広く、不特定多数の読者に向けて報道する一般紙がある。

既存の全国紙としては、読売新聞、朝日新聞、毎日新聞、産経新聞がある。また、ある程度の地域ごとに区切って発行されている「ブロック紙」の北海道新聞、中日新聞、西日本新聞などがある。また、県紙（地方紙）の千葉日報、神奈川新聞、上毛新聞、神戸新聞などは、その県独自のニュースについて、大きく紙面を割いて伝えている。中日新聞系の東京新聞は関東地方を中心に売られており、必ずしも東京の「県紙」というわけではないのが特徴である。

次に経済記事を重視した経済新聞が挙げられる。例えば、現役のビジネスパーソンはもとより、就活を前提としている大学高学年の学生の必読紙ともいえる日本経済新聞をはじめ、フジサンケイビジネスアイなどがある。これは経済を中心とした記事が多数占めるものの、日本経済新聞などは事件や裁判を扱う社会面や文化面、スポーツ面なども掲載されており、日経は経済の話題を中心とした全国紙という見方もできるだろう。

その他、きわめて狭い業界を中心に扱う業界紙というのも、専門的な経済紙と言え、日本経済新聞がマクロな視点での経済紙なら、業界紙はミクロの視点による経済紙と言ってもよいだろう。前者は就活生から現役の企業経営者までが必読の新聞であり、対象とする読者はどちらかというと不特定多数であるのに対し、後者は発行部数は限定的だが、その業界の企業の経営陣や関連する企業の関係者は必ず購読するという、固定層が読者の特徴と言えるだろう。

また、スポーツや芸能記事を中心とするスポーツ紙には、報知新聞、サンケイスポーツ、スポーツニッポンなどがある。さらに、夕刊専門の新聞（判型は全国紙の半分にあたるタブロイド判が多い）には、スポーツや芸能ネタ、風俗ネタや広告、一般紙が書けない裏情報ネタなどが掲載されており、現代では活字メディアを生活の中心に位置づけてきた中高年層の購読者が多い。夕刊フジ、日刊ゲンダイなどがある。

そのほか、専門紙・業界紙の中には、特定の政治思想などを支持する人たちを対象とした団体の会員など、限られた人に向けて発行されている新聞もある。政党機関紙として自由民主、公明新聞、しんぶん赤旗などがあり、その他、宗教団体の機関紙もあれば、場合によっては大学や高校の卒業生向けの情報を載せた校友会が発行する機関紙などもある。企業に目を向けると、労働組合の組合員向けの機関紙なども挙げられる。

読者、とりわけ学生の皆さんが想定するのは、小学校から高校時代までに経験してきた、学校新聞や学級だより、地元の都道府県や市町村の広報・広聴の担当部署が取材・執筆している自治体の広報紙、官公庁や企業のＰＲ紙なども含まれるかもしれないが、本書で取り上げる活字メディアとしての新聞は、それ以外の、前述してきたような全国紙など、商業ベースにのった新聞を指すこととする。これは後者の広報紙がどちらかというと、例えばその自治体の「お知らせ」や宣伝に近い情報が多いのに対し、商業紙ほどジャーナリズムの度合いが高いことで区分けをしておきたい。

2 日本の新聞の特徴

普通、新聞というと、膨大な発行部数と高い普及率、巨大新聞社の存在が挙げられるほか、日本の新聞の特徴としては、大衆紙と高級紙の境界線が薄いことが挙げられる。芸能ネタなどを扱うスポーツ紙や夕刊紙は比較的、大衆紙的な色彩が強い。しかし、欧米でエリート層が読む高級紙という区別はほとんどみられない。

日本の新聞の発行部数は日本新聞協会のHPによると、2021年10月現在、約3300万部で、1世帯あたりの部数は0・57となっている。1世帯あたりの部数は2008年以降「1」を割っており、日本人の新聞離れが進んでいる。

インドや中国は人口に比例して極端に多く、日本は年々、世帯別の購読率が下がっているとはいえ、国民世帯の2世帯に1世帯が定期購読しているのは、日本に住む人々がジャーナリズムの必要性を忘れていない、あるいは、ジャーナリズムに期待を寄せている証拠ではないかと考える。

ただし、現実問題としては、かつて読売新聞が1000万部超えをし、続く朝日新聞も700万から800万部台だった時代に比べると、おおよそ筆者の推測値として、全国紙レベルで200万部から500万部程度と推察される。

ただ、ネット時代といえども、紙ベースの日本の新聞販売は、これまでは販売店による個別配達(宅配)を基本として成立してきたことは忘れてはならないだろう。諸外国でも宅配は普及しているが、日本は著しく発達してきていた。

大部分の戸別宅配を担当しているのが、新聞社とは別組織として運営されている販売店で、一般紙(いわゆる全国紙)を発行する新聞社が自社の発行する新聞を、販売店、とくに一つの新聞を中心に販売する専売店を通して定期購読者を開拓して販売する仕組みが根付いていた。しかし、その仕組みも若者の新聞離れが加速するとともに、すでに限界になっており、販売店の統廃合が進んだり、販売店を運営する企業が業態変換をしたりして、新聞だけを売るのではなく、新聞以外の物品販売をしないと経営が続かない店がほとんどになってきている。

もともと、都市部では自社の新聞だけを売る専売店が多かったが、地方によっては全国紙の発行部数が少ないため、地元紙（県紙やブロック紙）の販売店に配達を委託している地域もある。また、全国紙の中でも発行部数が他社に比べて少ない新聞は、地域により、部数の多い新聞社の専売店に販売・配達を委託している社もある（東京新聞や産経新聞など）。複数の新聞を販売・配達している販売店を、専売店とは別に扱う場合がある。いずれにせよ、新聞販売店を通じて新聞紙だけを販売するというビジネスモデルは崩壊したといえよう。

その対策として、20年ほど前から新たな動きが出ている。例えば、新聞社の合理化の一貫として、同じ地域に競合する新聞社の専売店が接近して営業している場合、専売店をどちらかの販売店一つに集約して相互協力・乗り入れをする試みがなされた。しかし、都市部で生活する限り、読売と朝日が同じ販売店で売られているケースはほとんど見当たらないのが現状だ。大手都市銀行でもインターネットバンキングの普及により支店やＡＴＭコーナーだけの店舗をライバル銀行同士で統廃合する動きが都市部を中心に進んでいるが、新聞販売店は都市銀行の統廃合ほど目立った動きはみられず、むしろ、知らないうちに別の地域の同系列の販売店と統合していた、というケースが多く見受けられるようだ。

一方、一時期問題となり、政治課題にもなりかねない新聞の「再販制度」とは何なのであろうか。同じ新聞を北海道で購入しても、東京や大阪で購入しても同一価格である。これを業界内では再販制と呼んでいる。メーカーや卸業者が取引先に対し、価格を決定し遵守させることについては、普通はルール違反とされるが、新聞や雑誌、書籍、音楽CDなどの著作物は文化政策上、例外として認められてきた。

再販制は時期によっては事実上の政治問題となり、政府与党も絡んでの取引材料のようにもみてとれる。しかし、新聞社側は再販制を維持するにあたり、販売店へ新聞を直送し、できる限りコストを切り詰め、均一で低廉な価格で読者に新聞を提供している、などとして制度の意義を強調してきている。

さらに昨今、政府が消費税率を10％に上げた際も、新聞業界は、ニュースや知識を得るため、消費者の負担を減らすことが必要であり、活字文化の維持・普及にとって重要であるとの立場から軽減税率適用の必要性を訴え続け、政府は新聞の軽減税率適用を定期購読する場合に限り認めた経緯がある。

3 新聞・雑誌の「記者」の仕事の変遷

２０１１年3月11日の東日本大震災や翌日の東京電力福島第一原子力発電所からの放射能漏れ事故の際に、一般の人がブログ等を更新して情報発信した経験から、記者の仕事の役割、立場、責任、モラルなどが再認識されている。それでは記者の仕事とは、どのような内容なのだろうか。

▽「事件&特ダネ」を追及する

新聞だと捜査関係者からの捜査情報を独自に入手したり、雑誌であれば、真犯人とされる人物の素顔や生い立ち、親族の証言などを入手したりする。もちろん刑事事件だけではなく、政治家の汚職や官僚の天下り問題、教育や福祉の現場で問題になっていることなど、一般国民はもとより、他のメディアも気づいていないニュースを発掘し、そこに社会的にみてどのような背景があるのかを分析しながら伝える役割がある。

ただ、事件報道の場合、単に捜査当局の公式な発表内容をまとめるだけではなく、後述するような独自の取材も大いに含まれる。それには多くの経費がかかり、経費をかけたからといって必ず記事として公表できるとは限らず、報道の役割を遂行することと経営との兼ね合いが懸念されている。しかし、ジャーナリストが新聞社の経営のことを気にしながら取材を進めたのでは、思い切って世の中の不正を暴くことに委縮が生じかねない。これは民主主義社会の危機ともいえるのではないだろうか。

▽「事故・災害」「感染症拡大」などのデータと現場の情報を伝える

震災や豪雨など被害の状況をいち早く国民に伝え、現在より被害が拡大しないよう、国民に危機意識をもってもらい、避難する必要の有無や避難所がどこにあるのか、といった生命を守るために必要な情報を提供することが第一である。2020年初頭から始まったコロナウイルスの世界的な蔓延のように感染症などが流行した際、感染者数の推移や対策など、人々の命を守ることに直結するのが災害や感染症についての報道である。

そして、国や自治体の対策がどこまで進んでいるのか、足りない点や近々問題となりそうな課題などを浮き彫りにして指摘することも事故・災害報道の重要な部分である。コロナウイルス蔓延に際しては、テレビのニュースなどでは必ず冒頭の項目で都道府県ごとの感染者数を掲示したり、都道府県知事がコメントする様子などを報道したりしていた。それだけではなく、そもそもコロナとはどういったウイルスで、どのような治療や対策ができるのかを専門家の意見を交えながら報じたことは、報道の基本姿勢として重要な案件と言えるだろう。

▽「連載・話題もの」

新聞であれば、例えば大災害が起きた場合、被災地の様子や人々の健康に関する情報、問題点とその解決策、被災者の生活の不自由な点や困難に直面してそれを乗り越えたり、社会のために尽力したりしたことなど、ヒューマンストーリーを取り上げる。また、雑誌なら「名医の現場紹介」「病院手術数ランキング」「大学入試ランキング」など、医療ものや教育の別冊特集が定番としてよく売られている。いずれも生活に必要な情報を各社の独自の切り口でまとめているのが普通である。

ただし、昨今では「名医」とか「病院の手術数ランキング」などの特集はあまりみられない傾向である。何を基準に「名医」と言えるのかが疑問であるし、手術数が多ければ良い病院とは一概にいえないからだ。そのような理由から、あまり「名医」などの言葉は用いられなくなったものと考えられる。

そのほか、グルメ特集、鉄道の旅など、やはり人々の衣食住に関連した話題の特集も好んで読まれる内容ではある。雑誌がよく行う手法であるが、日本人に好まれるものとして「ランク分け」がある。前述した病院や大学入試のほか、震災後であれば原発の放射能漏れ事故を受けて、放射能がどの地域にどれだけ到達しているかを予測する「ホットスポットランキング」などの特集も相次いだ。

「ランキング好き」を記事化しているのが、大学の難易度や就職活動の学生が希望する人気企業のランキングである。前者は偏差値が高ければよい大学なのか、東京大学に入学するだけが人生ではないことも、報道する側の反省材料も含めて、報道を通して人々に伝えられるようになってきている。ただ、どのような企業や業種が大学生に注目されているかは、その時代の経済状況を表す指標の一つにもなるため、経済記事という側面からも評価できるのではないだろうか。

▽「検証・問題提起」

「戦後の政治や経済のあり方」「原発の推進の歴史」「未解決事件の捜査の問題点」など、過去の政治や経済、社会の事象で、その後問題が浮上してきた案件を報道機関として検証し直すことがある。「昭和の総理の人物像」などもヒューマンストーリーとして取り上げられる。例えば2015年は「戦後70年」というくくりで、政治や経済、社会などが1945年の終戦を迎えた日本をその後、どのように支えてきたか、変革をとげてきたのかを検証する新聞・雑誌記事やテレビの特集番組が組まれた。2020年に「戦後75年」という節目で報道がなされるようになると、今度は人生100年時代といえども「戦時中」を知る高齢者が少なくなっている、という危機感も同時に伝えられるようになってきた。若い世代が戦争の「語り部」を引き継ぐ、というニュースも出てきてはいるが、実際に体験した人の生の声を報じるのも、報道の大きな役割といえよう。

▽「主張・論説」

新聞であれば社説で自社の意見やスタンスを主張し、その時々の政治や経済、社会、文化、科学、スポーツなどの主な出来事について論説しているほか、読者の投書欄で愛読者の主張も紹介している。雑誌であれば、ニュースや特集よりも言論にも比重を置く雑誌、例えば『文藝春秋』『中央公論』『正論』『世界』『ＷｉＬＬ』などの老舗の月刊誌や新興勢力の月刊誌が発行されてきている。そのほか、週刊誌においても政権与党や原発問題など、その時点での政権に対するスタンスの違いが特集の内容に影響を与える場合が少なくない。保守的な論調を中心に載せたり、また逆に反与党、反原発などの立場を強調した論説を中心に掲載したりするなど、出版社の意見や政治的な立場が鮮明に出るのも、論説中心の雑誌報道の役割でもある。

▽「調査報道」

中央省庁や行政の記者発表に頼らず、メディアの独自の取材力を生かして記事をまとめる手法である。新聞社やテレビ局などの組織取材で手がける場合もあれば、フリーランスのジャーナリストがコツコツと調査を手がける場合もある。さかのぼれば、文藝春秋が田中角栄首相（当時）の金脈問題を取り上げたことは、その直後に摘発された政治家の疑獄事件を暴いたという点で、メディアの歴史に残るスクープと言える。

必ずしも政治家が対象とは限らず、大手企業や有名人の不祥事、人々の生命や健康にかかわる薬害などの問題、国民が納める税金や補助金の不正取得など、広い意味での公的な組織や関係者の不祥事、社会問題につながるテーマを取り上げることが多い。

4 新聞と雑誌では記者の育て方が違う

新聞社の場合は、地方支局が記者育成のいわば「実地研修所」となる。地元警察で事件取材や捜査関係者への状況把握をするために取材をする、いわゆる「サツ回り」といわれているものから、小さな地方自治体の行政、選挙、高校野球地方予選などを分担・執筆することを経験し、取材の仕方や原稿の書き方を学ぶ。

実際、原稿は入社1年目から、交通死亡事故などの小さな記事から、事件や選挙などの情勢や結果をもとに事実やデータ、意見をまとめた特集記事までを通常業務として受け持つ。事件や行政ものは、地元の記者クラブに入会し、捜査当局や行政サイドから情報を得た上での取材が主体となる。

一方、雑誌の場合は地方勤務がなく、入社後から直接、本社の編集部に配属される。事件や行政、選挙などはまずは現場に赴き、当事者（事件の容疑者や被害者、選挙の話題の立候補者など）の素顔に迫るエピソード主義となることが多い。いきなり原稿を書く場合もあるが、ページ数や文字数が新聞よりも多いため、先輩格の記者が「アンカー」となり、後輩やフリーランスのライターたちが分担して集めてきた取材結果（データ）を一つの「話題もの」としてまとめあげることも少なくない。この場合、分担して現地で取材を進める記者は「データマン」となり、取材したデータを送るアンカーに徹するなどして、役割分担がなされる。

5 メディアの立場、ジャーナリズムの立場とは

ジャーナリズムは「第4の権力」とよく言われる。それだけに、権力をチェックする機関として、できる限り「事実」に迫ることが求められている。

「第4の権力」という場合の4番目とは何を意味するのか。日本は少なくとも民主主義で、なおかつ法治国家である。そのため三権分立（立法、行政、司法）に次ぐ事実上の「第4番目の権力」としてメディアが取り上げられることが多い。当局側（省庁や自治体など公的な機関）が積極的に情報公開を行うよう、取材活動を通して迫る。また、広い意味での権力者（政治家、上場企業トップや企業そのもの）に不正が行われていないか、事件の当事者はどれだけの法律違反を犯したのか、をチェッ

ク し検証する。例えば、東日本大震災直後の原発事故に際しては、これまでの対策を怠ってきた東京電力も大手企業の一つとして、ある意味では権力者側として位置づけられ、報道により責任追及されたのである。

新聞は当局取材、雑誌は周辺取材、テレビは映像を中心とした取材など「手段」や「経緯」が違うが、国民が広い意味で「不利な立場」に立たされていないか、結果的に国民の税金の無駄使いが行われていないかをチェックするのがメディア、とくにジャーナリズムや報道の役割といえる。国民目線に立った、「公共の利益」を追及し、「国民の知る権利に応える」役割がある。その他、雑誌などは話題ものとして読者の娯楽を提供する（芸能・スポーツものなど）嗜好品的な側面ももっている。

6 東日本大震災から10年が過ぎ、問い直される記者の責任

不況の影響やインターネットなどの普及で、新聞が売れなくなっているのが現状である。新聞社に勤務する記者は、フリーライターなどを除けば、基本的には「会社員」であり、男女とも「サラリーマン」の側面をもっている。今後は新聞社も不景気の影響を受け、新聞記者や雑誌記者の報酬も減る傾向にある。そうした社会的な背景があるなかで、どれだけジャーナリズムを追求する志を持ち続けるかということが、現役記者の課題である。

記者の中には、不景気といえども平均的な日本のサラリーマンの年収を上回る額の報酬を得てい

る者も少なくない。さらに、手間がかかる事件報道や調査報道、被災地の取材などには関わりたくない、と考える「サラリーマン記者」が少なからずいる事実もある。果たして、ある程度収入がよい有名企業の一つとして新聞社の社員になったのかと問いただしたくなる「記者」、わたしは「なんちゃって記者」と名づけたいのであるが、彼らは果たして新聞社の社員なのか、新聞記者なのか、ジャーナリズムを追求する者としての志の有無を疑問視せざるを得ない状況が生じている。

また、インターネットによる課金制のデジタル新聞（記事）は今後、ある程度、普及していくとみられる。記事の冒頭は無料で読めるが「これから先は有料です」「会員登録してください」などと表示され、一番知りたい情報は課金制になっているネットメディアが増えている現状がある。しかし、こうした手法がビジネスモデルとして成立するのか否かが課題になっている。

ヤフージャパンをはじめ、ニュース速報サイトでニュースを確認するのが、現代人にとって当然の姿となっている現在、紙に印刷された新聞紙の体裁そのものを、インターネットの画面を通じて「電子版」として閲覧することが時代に即しているのかどうかという素朴な疑問も生じている。

こうした中で発生した東日本大震災をめぐる震災報道においては、当初は被災地の避難者や農家など、現地の住民の声や国の復興対策への賛否、原発の是非、首都圏での放射能漏れの実態（ホットスポット）などを報じていた。震災後10年を過ぎた現在、報道のあり方が新たなステップに入っているといえる。

よく震災とその被災地、被災者のことを忘れないようにと啓蒙するため、「震災の事実を風化させまい」といった言葉が新聞紙面などでみられる。それならばどのようなテーマや切り口で報じ続けるべきなのか。被災地の関係者はもとより、読者に求められる報道姿勢を探ることが課題になっている。

例えば、メディアのあり方を論じる場合、新聞の最大の任務は、テレビが映像による速報、雑誌が少し時間をおいての検証、娯楽性などを重視しているのに対し、記録性だと言われてきた。果たして部数減が現実のものとなり、読者が新聞からどんどん離れていく現状から、それだけでよいのかが今後の課題になっている。

また、倫理面での配慮も大いに必要になっている。「風化させまい」という掛け声はよいが、実際、当事者の立場からすると「あまり思い出したくない」場面も決して少なくないことは、報道する側の姿勢として忘れてはならないだろう。

7 活字メディアにおけるジャーナリズム

世論を形作るためには、人々に対して正確で事実に基づいた情報が素早く提供されることが求められる。新聞や雑誌などの活字メディアにおけるジャーナリズムはどのようにあるべきなのだろうか。こうした問いかけは、メディアの信頼を今後一層高めるためにも必要なことではないだろうか。インターネットによる情報が氾濫し、これが「正解」という、「模範解答」がない現代社会において、どのような役割があるかを考える必要があるのだ。

まずは、ジャーナリズムの定義と役割について述べたい。新聞や雑誌、テレビなどによる時事的な事象の報道や解説、論評を広く「ジャーナリズム」と定義づけることができる。ジャーナリズムは人々が生活を営む上での情報を提供する、情報源としての機能が第一に挙げられる。政治や経済、事件や災害、文化的な事柄やスポーツの結果など、世の中で発生しているありとあらゆる事象、それに伴う新聞社や出版社、記者、評論家の論評（新聞なら社説や解説記事）などを広く指すものといってよいだろう。それでは、これらを総称する形でのジャーナリズムの役割とは何か。

（1）権力の監視機能、「第4の権力」、国民の知る権利に応える

前述したように、日本は民主主義国家で、国会による「立法」、中央省庁や地方の役所などによる「行政」、そして裁判所や検察など「司法」の、三権分立が成立している。とくに立法や行政は時として人々の生活のかじ取り役として、人々の行動や考え方までをも左右する、巨大な権力としての意思決定機関になる。これがいい方向に動けば、最終的には国民生活も順調に動き、経済が活発化し、国も繁栄するだろう。しかし、権力者が間違った方向にいくと、国、つまり国民の税金が間違った方向で使われ、人々の生活が奈落の底に突き落とされることになる。権力者である立法や行政が、意識的かあるいは無意識かは別にして、あらぬ方向に国を導くことは、国民を国家という名前の泥船に乗せることになりかねない。

この場合の権力者は内閣総理大臣および内閣の国務大臣、国会や政治家であり、政党であり、また中央省庁、地方においては地方議会や地方議員、県知事や市長などの首長、地元の県庁や市役所などがあてはまる。

こうした「権力者」があらぬ方向、例えば、国であれば「日本丸」が沈まないよう、常に監視し、物理的で暴力的な行為ではなく、ペンの力によって間違いやその可能性を指摘し続ける、これがジャーナリズムの役割の原点ともいえる。権力者とは政治家に限らない。東日本大震災直後の放射能漏れ事故の当事者だった東京電力、薬害エイズ事件当時の大手製薬会社なども国民生活を脅かす点からみると、広い意味での「権力者」と定義づけることができる。

ここにきてようやく電力の自由化が進んだが、東京電力は首都圏の電力を供給する唯一の「ライフライン」であり、つい最近まで人々は、自分が住む地域により電力会社を選ぶことができなかった。料金の値上げについても反対意見を通すことはできず、電気の供給を受けたければ、法人でも個人の立場においても電力会社の「言いなり」にならざるを得なかった。そこへきて東日本大震災直後の東京電力福島原発の放射能漏れ事故が起きたのである。

このような構造は、人々の暮らしに直結する携帯電話会社や電鉄会社などの料金体系などもあてはまるとみてよいだろう。

一方、昨今、少子高齢化が進んで、医療や福祉にかかる予算、費用がかさみ、国内の社会保障制度が崩壊していると言われている。超高齢社会となり、高齢者が増えている、ということは医療費も増えている。健康保険に入っていれば、３割は自己負担で残りは保険料から賄われるが、その財源は国民からの税金である。国民がみな病院にかかり、国全体の医療費や介護費用などが莫大なものとなれば、国の社会保障制度は破たんすることとなる。いや、すでに破たんしている。そうした国民の税金のあり方や使い道について監視機能が働かなければならない。もちろん国民個人が常に政治のニュースに目を向けていられればよいが、時間は限られる。だからこそメディア、とくに報道の役割は重大なのである。

東日本大震災で、日本の経済がさらに悪化し、政治の第一課題は国の経済を立て直すことだとされてきた。そのために、政権を担う者、つまり政権与党や首相、中央官庁などは、「増税」や「年金受け取り年齢の引き上げ」などを常に念頭において、その実現に向けてタイミングを狙ってきていたといってよいだろう。

しかし、そうした政策、例えば増税や年金問題などを、課題解決に向けて実行することにより国民生活にどんな影響が出てくるかを事実に基づいて検証、予測し、時の政権の政策や方向性に問題があれば、それを紙面で指摘し、読者や視聴者に伝え、国民とともに考えるきっかけを作る、という役割をジャーナリズムは担っている。

消費税が値上げされたら人々の生活はどうなるのか、企業によってもどのような負担増が見込まれるのかが課題となる。増税すれば国の収入が増えるかもしれないが、その反動で人々の購買意欲が低下することも予想される。よく評論家は「たばこ税を値上げすればよい」などと発言する場合があるが、その裏にはたばこ農家の存在もある。見かけだけの論調に人々が左右されないように、公平中立に、あくまでもどの立場の国民にも不利益が生じないような方策を練るのも、ジャーナリズム、とくに報道の役割だといえるだろう。

（2）国民の生命や財産を守る使命がある

1990年代後半に、全国的に和牛商法事件というのが社会問題となった。昨今の高齢者を狙った「振り込め詐欺」「特殊詐欺」の先駆けともいえる事件である。例えば、ある摘発された会社の一例を挙げると、全国各地の農場にいる牛のオーナーになった上で、一口いくらかの会員になって出資し、牛に子牛が生まれると、その儲けを配当として現金や牛肉の詰め合わせセットなどがもらえるというもので、低金利時代に突入した頃、国民がこぞって会員になった。しかし、和牛商法をしているほとんどの会社では実際に牛が会員の数だけ実在しないなどの問題が発覚し、さらに集めた資金のやり繰りが悪くなって会社が破たんするなどして、会員が大損をする事件があった。

これをマスメディアが大々的に社会問題として取り上げることで、人々に「都合よく儲かる話はない」という警戒感をもたせたことがあった。

その後、2010年ごろにかけて、その和牛商法で生き残っていた会社が、東日本大震災の直後に破たんした。この段階にきてもまだ、多くの会員が存在していたことが浮き彫りになり、これをさらにマスメディアが伝えることで、さらなる警戒を市民に与える契機となった。

90年代後半には和牛商法のほか、それに類似するオーナー商法が一躍有名となり、「地鶏」やダチョウオーナー制度まで登場した。ダチョウは大きな卵から毛皮まで使い道が多いとして、これも会員制によるオーナー制度が敷かれたが、ただちに制度は破たんした。不景気が当然の今となっては、「どうしてそのような悪質な商法に平気でだまされるのだろう」と不思議に思うかもしれない。しかし、当時はこうした商法は目新しく、人々の警戒心も希薄だった。そこで、このようなオーナー制度の危うさをマスメディアが詳しく伝えた。人々は自分の財産や生命を守るために行動するようになった。これはジャーナリズムの存在価値を高めた好例として挙げられる。

確かに和牛商法は特異な事件かもしれない。2011年3月11日に発生した東日本大震災でも、被災地がどのような状況になっているのか、東京電力福島第一原子力発電所の放射能漏れ事故による放射能の影響は、どの地域でどれだけあるのか、を逐一、活字メディアは現場からのルポや特集記事を組んで発信し、被災地から離れた地域でも比較的放射線量の高い地域があることを知らせることで、小さい子どもを抱えた母親などの不安を取り除いたり、外出を控えさせるなどの対策に結び付けたりした。

地元産の生産物の風評被害を抑えるため、何が危険で何が大丈夫なのか、複数の専門家の指摘を紹介しながら、しっかりとした方向性を読者に示すこともメディアの役割とされた。

また、2020年から世界的に流行したコロナウイルスの蔓延についても、単なる感染者数や行政の対策を紹介するだけでなく、在宅ワークなど国民の働き方や過ごし方、家族のあり方までが変化した時代をどのように乗り切るかを、読者や視聴者とともに考えるきっかけを作ることも、報道の意義となった。

こうした国民の財産を守る役割と同時に、その延長線上には、例えば文化や芸能、スポーツ、健康や医療のジャンルを受け持つジャーナリズムの使命もある。2021年に実施された東京五輪・パラリンピックでは若手の日本人選手が活躍した。それまで注目を集めたことのなかった競技が公式に認定され、子どもたちを中心に競技人口が増え始めた競技スポーツもある。競技スポーツの人口増は、単に将来のプロ選手を育てるというスポーツのジャンルだけでなく、新たなビジネスチャンスにも結び付く。このように政治や経済、スポーツなどと縦割りにはできない世の中の現象を伝えながら、人々が心身ともに健康な生活を過ごせるように、的確な情報を伝達することが報道の使命なのだ。

(3) 国民生活に対して、疑問を投げかける提案・模索型ジャーナリズム

社会生活ではさまざまな問題が生じている。例えば、超高齢化社会となって、買い物に行けない一人暮らしの高齢者、いわゆる「買い物弱者」が発生している。それを解消するために、ある都営（県営）住宅では街ぐるみで一人暮らしの高齢者宅を見回るとりくみをはじめたということが報じられた。このような報道を通じて、「それならば、みなさんの地域でもこのようなことを試みてはどうですか」「みなさんの地域も同じことがあるのに気づいていないということはないですか」とか、「ほかにもっといい方策はありませんか」と読者へ提案し、いっしょに社会問題を考えながら、解決に導く

手法がある。決して100点満点の「模範解答」などないかもしれない。しかし、人々とともに考えるきっかけづくりになること、これもジャーナリズム、報道の役割の一つといえる。

8 ジャーナリズム（記事）と広告とはどう違うのか

ジャーナリズムには、前述のような「国民の財産や生命を守る」、「権力の監視」、「疑問の投げかけや提案」の3つの柱があることがわかった。

それにはどのような権力にも左右されない、あくまでも公平中立な立場を守ることが厳守されるべきである。この公平中立な立場を貫くことで、特定の政治家や企業、個人などの利益に結び付かず、あくまでも「公共の利益」に貢献することが第一に求められている。

裁判などでメディア側が政治家や企業、文化人などから名誉棄損を理由に提訴される場合がある。こうした裁判が提起され、名誉毀損の有無が争われる場合は、興味本位で書いたわけではなく、相手が大臣や政治家、経済の中枢を担う大手企業であったりする場合、彼らの不祥事や不正、倫理的に問題ではないかと考えられる事象を報じることにより、公共の利益につながるか、が問題解決のカギになる。

つまり一般国民に知らせるべき事実に基づいた情報であること、あるいは、あまりにも専門的な課題の場合、少しでもその事象を裏付ける努力をした上での報道なのかが証明されれば、名誉棄損にはならない。もちろん、事実でありさえすれば、名誉棄損にはならないという意味ではない。あくまでも前述したような3つのジャーナリズムの役割のもとで、「公器」としての社会的役割を果たしていることが前提となるのである。

一方、活字メディアに対する広告は、広告主の企業や団体などが広告代理店などを通じて、新聞や雑誌に広告を載せる。広告料として数十万円から数千万円を支払う。そのため広告主の意向が十分尊重される。広告主に都合のいいこと、利益に結びつくことだけが優先され、都合の悪いことなどは省略される。この広告の中においては、マスコミは公平中立の立場を守れないことが多い。

ただし、反社会的な行為や事象、モラルに反することや事実に即していないと判断できる場合、あるいは明らかにねつ造とみられるデータが入っている場合は、マスコミ側は広告の掲載を拒否することができる。これは新聞社などの収入が落ち込んでいったとしても、断固として取り続けるべき姿勢といえる。そのため、ほとんどの新聞社には、広告を掲載するにあたり、できる限り広告主の素性や広告の内容について検証し、審査する部門や部署も置かれている。ただし、審査といっても現実を100％把握するのは難しいため、広告審査にはやはり限度がつきものであることは否定できないのではないだろうか。しかし、報道する側には、例え広告とて「○○新聞に掲載されていた広告だから信用して購入した」という読者がいることは、忘れてはならないだろう。

⑨ 記事のねつ造や「やらせ」事件は撲滅されてはいない

報道に従事する記者や新聞社自体の不祥事として、「記事のねつ造」「やらせ事件」などがたまに起きる。モラルが低下している記者が功名心とスクープをとりたい一心で、ありもしない出来事を作り話としてねつ造するものである。1980年代に発生した、新聞社のカメラマン自らがサンゴ礁にいたずら書きをした朝日新聞の「サンゴ事件」などは極めて有名なものであり、記者を名乗る者として決して忘れてはならない、恥じる行為である。カメラマンとて「写真記者」という立場でジャーナリズムにかかわっているからだ。

かつて、北京五輪の開会式の映像で、一部、合成映像が使われて世界的に問題となり、中国のオリンピック関係者が謝罪会見を開いたのは記憶に新しい。こうしたことが平気で行われると、その国のマスコミ、ジャーナリズムが公平中立を守っていないのではないかというだけでなく、メディア業界の質やランク、品位がわかってしまう好例といえる。

また、これまでにも韓国の政権を批判した日本の新聞記者が、韓国の検察に起訴されるというメディア史上類をみない問題が発生した。結局、裁判では無罪となったが、これは至極当然のことと考える。しかし、油断をしていると、ジャーナリズムは国家間の外交問題や取引材料に使われかねないといった、神経質にならざるを得ない微妙な立場に置かれていることも忘れてはならないだろう。もちろん、言論の自由、報道の自由が優先されることは言うまでもないことだ。

10 ジャーナリズムとニュースの関係

一言で「ニュース」といった場合、新聞や雑誌、テレビであっても、どの社会事象が「ニュース」となりうるかは記者、ジャーナリストの判断にかかっている。実際は、記者の取材原稿がどれだけ大きく扱われるか、扱われないかは、編集者としてのデスク、編集長などの編集幹部の判断によるものだが、第一段階で記者、ジャーナリストのフィルターにかかった上で、世の中の出来事が原稿としてまとめられ、記事、ニュースとして世に発表されることとなる。

どれが「ニュース」で、どれが「ニュース」と言えないのか。その判断は「社会の注目を浴びることが予想される事象」ということになるが、当事者が政治家や官僚、大手企業など日本の政治や経済に直接大きな影響を与える「公人」や事実上公的な立場であると、「社会の注目の的」とも言える。また、上場企業であると「ニュース」として取り上げられる確率が高い。上場企業などの場合は、例えば自動車メーカーや食品会社などだと、人々の健康や命に関わる不良品が製造されていることは、直ちに世の中に知らせる必要があるからだ。

さらに、元プロ野球選手の覚せい剤事件や野球賭博問題、有名人の不倫問題など、取材対象がプロの有名人かどうかにもよることが多い。それとは別の次元で、全くの一般人でも街の話題として取り上げることがある。また、大きな事件を犯した場合などは、その当事者である容疑者がどういう人物かなどを取材することがあるが、これは興味本位ではなく、今後の事件の再発防止の観点から、あくまでも前述の「公共の利益」にのっとった立場での紹介のしかたとなる。雑誌などだと報道の仕方がルポルタージュなどを含めた形になることが多く見受けられる。

11 実名報道と情報源の秘匿の鉄則

公人としての政治家や上場企業の役員、そして事件の当事者など、世間に情報を知らせる観点から成人の場合は基本的に実名で報道することが原則となっている。一般人のケースだと、報道することによりさらなる危害が加えられる可能性が高い場合や、情報源として秘匿する必要がある場合、その他、刑事責任が問えない可能性が報道段階からわかっている何らかの理由があるケースは、匿名とすることもある。

例えば、事件の取材の一環として、捜査当局の幹部などが昼間のインタビューで、公的な立場でなかなか情報を流せない、記者に話せないという場合が多い。この場合、非公式の立場で、オフィスを離れて、記者が早朝や深夜に捜査幹部の自宅などに出向いて取材をすることがある。時によってはその情報源を明らかにしない前提で、より詳細で正確な情報を読者に提供することができるケースがある。この際は、「捜査関係者によると」などと表現されることが多い。

また、政治家などでも公式に発言した時は、立場上、外交問題などに発展しかねないと判断される際には、「政府関係者」とか「消息筋によると」などと、あえて取材の情報源をぼかして、より正確な情報を速報することができるのである。

ただし、昨今では実名報道そのものについて、報道機関や記者の間で「常識」が変わりつつあるのは、読者の立場からもわかることがある。例えば、事件の被害者の氏名をどこまで報じる必要があるか。これまでなら凶悪事件に巻き込まれた人などであれば、すぐに報じていたニュースでも、匿名で年齢のみ報道するケースも出てきている。雑誌でもスクープ主義を売り物にしていた週刊誌なども少しずつスクープ合戦から距離を置く傾向が見られ始めている。

これには予算面での問題もあるかもしれない。と同時に、ネットニュースが主流となりつつある中で、記者が知ったこと、読者が知りたい（と思われる）ことはなんでも書くのが常識とされた時代から、少しずつ考え方が変わっているのかもしれない。しかし、事実はしっかり報道する、というスタンスは崩さないことが報道の存在意義を守ることにつながる。一方では個人情報保護などの観点も加わり、その「兼ね合い」がまさに岐路に立たされている時代なのかもしれない。

しかし、繰り返しになるが、報道の原則は忘れてはならないだろう。前述した「第4の権力」である報道の立場は民主主義の基本であり、なおかつ、読者の「知る権利」に応えることこそ報道の使命であるのではないだろうか。

12 取材とは何か

取材とは、学生や研究者が実験データを論文に掲載したり、別の研究者の書物や論文を引用したりするのも、広い意味での「取材」と言えるかもしれないが、ジャーナリズムの場における取材とは「インタビュー」が原則である。

その他、世論調査やアンケート、記者の体験ルポ、昔の公的文書（例えば日米の外交文書など）をひも解く作業、記者自らが情報公開請求をして公になっていない公文書を入手して、国民に知らされていない情報を報道する場合も含まれる。しかし、基本的には記者が現地に出向いて、必要に応じて当事者に取材することが報道の基本ではないだろうか。

ここではインタビューを例に出すが、インタビューといってもその形態や位置づけからいくつかに分類できる。

▽記者会見

政治家や行政担当者、有名企業の幹部や広報担当者、その他有名人など、ニュースの当事者とされる人物が記者会見を開いて世間に情報を伝達する。この場合、会見を主催するのは原則として記者（または記者クラブ）とされている（年を追うごとに少しずつ表現が変わっているものの、基本的には考え方は変わらない。詳細は、日本新聞協会のＨＰ「声明・見解」欄の「取材と報道」項目を参照されたい）。

▽単独取材

あらかじめ取材対象者にアポイントをとり、決められた日時、場所に出向いてその道の専門家などに話を聞いて原稿にまとめることがある。

▽ルポ・現地取材

事故や自然災害の被災地などに記者自らが出向いていって、現地の生の状況を地元の人へのインタビューを通じて報じるパターンである。もちろん事件などがなくても、人々がなかなかたどり着けない地域の伝統などを紹介するルポもある。

▽非公式な取材

いわゆる「夜討ち朝駆け」取材と呼ばれるもので、現在も続いている取材方法である。捜査幹部や企業幹部など、話題のキーマンとされる人物の自宅などに早朝や深夜に抜き打ちで訪れて、昼間、オフィスではいえない事実関係などを確かめにいく取材方法である。もちろん、誰の家でも訪ねてよいわけではない。そこには報道する側からすると相手は「公人」の立場であるという一方、「公人」といえどもプライベートな時間帯である、という微妙な空間がある。報道に関わる取材者としてそれを成功させるためには、当然、昼間の公的な取材も含め、取材先との信頼関係が重要になってくる。

13 新聞社の報道局・編集局の構造

新聞社は報道・編集局に記者が詰めており、その取材原稿を記事化、紙面化する製作局、印刷局など、分業態勢が取られている。ここ20年ぐらいを振り返ると、印刷部門や出版部門は関連会社として子会社化、分社化される傾向にある。不景気に伴うリストラの一環であり、コスト削減が目的である。

記者が原稿を出すルートとは別に、広告局や販売局、事業局などがある。報道・編集局の中では、さらに政治や経済、社会など、専門分野にわかれて記者が配置されている。

▽政治部

国会の議論の様子や政党の動き、党首の主張などを報道する。外交や防衛問題のほか、与野党の駆け引きなど、政局や与野党や内閣の人事案件、政策などが取材対象となる。

▽経済部

景気動向や金融・財政問題、大企業の動き、産業界の動向、企業の発表した新商品の紹介や決算など、経済・商業全般に関わる問題を取材する。

▽社会部

警察や司法を中心に、政治部が受け持たない、東京であれば都庁、大阪であれば府庁などを担当する。文部科学省や厚生労働省などの中央省庁の一部も受け持つ。その他、「遊軍記者」といってどこの省庁も受け持たず、省庁をまたがった話題や連載企画などを担当する記者もいる。社会部の基本は事件取材などで「特ダネ」を取ることであるが、新聞社によってはほとんど「特ダネ」を取れないまま、特集記事のまとめなどに専念する記者を抱えているところもある。

▽出稿部門と編集部門の違い

その他、医療情報部、文化部、婦人部、スポーツ部、外報（国際）部など、原稿を出す「出稿部門」に分類される各部のほか、出稿された記事に見出しをつけ、紙面の割り振り、レイアウトを考える編集センターなどもある。編集センターはもともと、ほとんどの新聞社で「整理部」と呼ばれたが、業界以外の人から「何を整理しているのか」「人員整理をしているのか」などと疑問が生じ、仕事の中身がわかりづらい点から名称変更した新聞社が相次いだ。

▽地方支局

全国紙の場合は、全国の県庁所在地を中心に支局や駐在記者を設置し、比較的若い記者を配置しているほか、地方紙であれば、県庁所在地に本社を置き、ほとんど一つの県内に複数の支局や駐在記者を配置している。しかし、東日本大震災後、被災地の取材を若手だけに任せず、中堅やベテランの記者を送りこみ、多方面からの視点で紙面を作る新聞社が増えた。

また、昨今のベテラン記者の世代は、いわゆるバブル時代の入社組が多く、管理職のポスト不足もあり、支局などでもベテラン世代がもう一度、支局に出るケースも出ている。そういった傾向は「(本社の)ポスト不足」で済ますのではなく、むしろベテラン記者を配置することによる地方の紙面の充実化につながるとみたほうがよいのではないだろうか。

14 記者クラブ制度とは

日本独自の取材スタイルとして、各新聞社の記者が中央省庁や地方の県庁などの主な官公庁に設置された記者室に詰めて、担当する役所や企業の発表を原稿にまとめる作業を行っている。

２００２年に出され、２００６年に改定された、記者クラブに関する新聞協会の「見解」によると、記者クラブとは、公的機関などを継続的に取材するためジャーナリストたちによって構成される「取材・報道のための自主的な組織」、とされている。

こうした特殊な組織が社会的に認められる背景としては、情報開示に消極的な公的機関に対して、記者クラブという形で情報公開を迫る組織を置いておくことで、「国民の知る権利」に応える目的が存在している。

しかし、こうした記者クラブに対しては、以前から賛否両論ある。立法や行政の当事者に対して、「国民の知る権利」に応えるため、一致団結して情報公開を迫り、当局側の目的を入手するにあたり、当局側は記者クラブでの効率的な記者会見に出ることとしかせず、そこでしか基本的な取材ができないという日本独自の形をとっている。よって外国のメディア（日本への特派員）やフリーランスの記者に対してはもともと排他的な傾向があった。フリーライターの中には、「記者クラブに入れないフリーの記者は不利」との固定観念がある。ただし、ここ20年ぐらいを振り返ると、フリーランスだからといって記者クラブが主催する記者会見に入れないということは少なくなってきている。

とはいえ、新聞社やテレビ局に所属して記者クラブに配属になっている新聞社の社員である記者と、フリーランスの記者とでは、行政当局への取材などではまだ、差別化が図られているという見方が根強く残っている。また、テレビ報道などで見る限り、首相や首長などの定例記者会見では、当局側が任命した広報担当責任者が質問できる記者を指名する光景がみられるようになった。もちろんテレビで放映されている記者会見の場面だけが、取材記者の仕事のすべてではなく、テレビなどで映らない裏での取材合戦のレベルが問われるところではある。しかし、誰に質問させるかを当局側が握っているというのには違和感がある上、むしろ時代に逆行している印象がある。

ただ、昨今では、新興のインターネット系のメディアが、取材現場、記者会見場に参加している現状があり、記者クラブのあり方、存在感も少しずつ変化してきていることを考えれば、閉鎖的な記者クラブという印象から少しずつ変化しているといえるだろう。

15 インターネット時代におけるジャーナリズムのあり方

「報道というペンの力で、市民の財産や生命を守る」観点から、「権力を監視」し、「国民の知る権利」に応える、そしてよりよい生活を築くために、「社会への提案」をしていくことは、ジャーナリズムの原点といえる。インターネットが盛んになり、情報が氾濫する時代だからこそ、ジャーナリズムの持つ力が強く求められている。

活字メディアとしての新聞や雑誌など紙媒体は、発行部数の面では確実に減少傾向で、今後もさらに低迷していくだろう。新聞社や出版社はまさに「斜陽産業」である。しかし、新聞「紙」はなくなってもジャーナリズム・報道の意義、公平中立な報道のあり方が尊重され、報道の自由が守られることは、民主主義社会を存続する上で極めて重要な課題であることは忘れてはならないだろう。

【第２講】

時事問題を読み解く

第1章　現代社会

1 認知症治療に期待もてるか

ある難病のめまい治療薬が記憶力回復に効果があることが、複数の国立大学などの研究チームにより解明されたことが、２０１９年1月9日のネットニュースで報じられた。認知症治療薬の開発につながるかどうか、期待が高まっているとのことで、超高齢社会の中でぜひ今後の研究の進展に期待したいものだ。

記事によると、研究チームの実験では、薬を飲んだグループに所属した人は、脳内の情報伝達に関わるヒスタミン神経が活性化し、忘れていた写真を思い出すケースが増え、正解率が上昇したそうだ。予備軍まで含めると数百万人もいるとされる認知症の人達には、現在、病気の進行を遅らせる薬はあるようだが、完璧に治る薬はないのが現状だ。

医学の世界では、もともと別の病気のために発見されたり開発されていたりした薬が、別の病気にも効果を発揮する例はいくつもある。例えば、解熱鎮痛作用がある薬を少量飲むと、心臓病の一部の効能も発揮するとして、心臓に持病がある人が常用している。一方で、日本人によく発症するとされる、心臓病や脳卒中、がん、糖尿病やうつ病などに罹ったまま、症状を和らげることはできても、完治させる薬がまだ発見されておらず、長い間にわたり薬を服用せざるを得ない人は少なくない。このような科学や医学の発展にはとても期待したいと思う。

しかし、私も含めて患者やその予備軍である一般住民の立場からすると、「安全が第一」と主張したい面もある。科学者にとり、科学の進展は誰のものなのかをよく認識する必要がある。理論的に、あるいは動物実験などで効果を発揮しても、人間の病気に本当に効くかどうかは慎重な精査が必要だろう。

私は医学部を狙う受験生と、チーム医療やインフォームドコンセント（説明と同意）について話をする機会がある。これほど科学が進歩した時代に、チーム医療として医療従事者同士の情報共有・情報交換に加え、患者やその家族に対する親切で詳細な説明がとても重要になっているのはなぜなのか。インフォームドコンセントなどの言葉は最近注目されたわけではなく、30年ほど前から叫ばれていた。しかし、医療ミスや事故などがあとを絶たず、医療関係者に改めてその必要性が重要視されているのだ。

医師やこれから新たな薬を開発する人々は、研究結果を急ぐのではなく、着実に成果を追い求め、患者やその予備軍の人々、看病する家族などに対して、説明責任を果たせるよう、科学や医学の着実な発展に寄与してもらいたいものだ。コロナウイルスが世界中で蔓延し、その対策が急務だからこそ慎重に、とも言えるのではないだろうか。

2 飲酒検査不正の航空会社は猛省せよ

極めて腹立たしい問題が発覚した。国内の航空会社が、パイロットの飲酒検査をする際、「替え玉」受検をしていたことが２０１９年の年明けの報道により明らかになった。航空会社は人の命を預かる業界のはずだ。一人の利用者として憤りを感じるとともに、該当した航空会社にはその後の検査体制の改革など明らかにしてほしいと思う。

ある航空会社の件では、２０１９年1月9日付の報道（電子版）によると、成田発米シカゴ行きの男性機長（当時59）が２０１７年12月、乗務前の呼気アルコール検査を、同乗するもう一人の機長（当時53）に代わりに受けさせた不正があったことを航空会社側が発表した。記事によると２人は予定通り乗務し、帰国後、「替え玉」になった機長からの報告で不正が発覚し、２０１８年2月に２人を懲戒処分にしたとのことである。一部のメディアの取材があるまで、公表されなかった。

別の航空会社の件は、２０１４年5月、羽田空港で男性副操縦士（当時40代）が乗務前の呼気アルコール検査を受けて基準値を超過し、再検査を別のパイロット（当時30代）に受けさせ、通過したように装ったものの管理担当者が不正に気付いたといった問題があったことが、1月26日付の報道（電子版）で明らかになった。記事によると、航空会社側が同月、同様のケースを国土交通省に報告したことを受けての報告だったようだ。

両社の対応でまず問題なのは、一部のメディアの取材があったり、同業社が同じケースで国交省に報告したりしたのを受けて、公表や報告をしているとみられることだ。「替え玉」でアルコール検査を済まそうとするなど、自分の職務や責任というものを軽く考えているとしか思えない。航空会社というのは、「人の命」を預かるという点では、医師など医療従事者と変わらないと考える。その割には、「替え玉」受検で済まそうとするなど、自分の立場を軽く考えていると思われる行為は、決して許されるものではないだろう。

医療従事者に大切なのは、「チーム医療」だ。患者やその家族の情報を交換・共有しながら治療方針を決めることだが、何よりも大切なのは、立場や経験年数にかかわらず、「チーム」の構成員が意見を言える「風通しの良さ」がポイントになる。両社のパイロットが不正をしようとした瞬間、「〇〇さん、今日の乗務はやめましょう」「検査数値を正直に社に報告しましょう」と誰も言わなかったことも極めて問題だ。航空関係者は人の命を預かる医療従事者と同じ責任があることは、常に肝に銘じていて欲しい。

3 高校の野球部における体罰を考える

日本学生野球協会が2019年2月1日、会議を開き、大学や高校の計13件の不祥事に対する処分を発表したことを、同日付の全国紙の電子版が報じた。記事によると、埼玉県内の高校の野球部監督が、昨年4月の練習試合で三振した部員計3人に平手打ちしたなどとして謹慎4か月、愛媛県内の高校の監督が部員への暴力などで謹慎2か月、京都府内の高校の顧問も部内暴力で同じく3か月の処分を受けた。うち3校は春の選抜大会への出場が決まっており、3人は監督や責任教師としてベンチ入りできない見通しだった。

確かに、教育現場における体罰は、決して許されるものではないし、私も体罰には基本的に反対の立場だ。しかし、競技スポーツなど戦闘態勢でなければならない戦い（闘い）の場で、やんわり注意しただけでは、負けてしまう可能性が高く、悩ましい点もある。注意すべき動作や技術があるのなら、選手より上級者である監督やコーチ、顧問の言うことを聞かない、あるいは助言を生かし切れていない場合は、強く「指導」する必要がある。これが昭和の時代であれば、運動部でなくても言うことを聞かない生徒へのある程度の「体罰」は「指導」の一環としてみなされ、文句を言う保護者などもいなかった。しかし私の記憶・認識では、２０００年を過ぎたあたりから、「個性を重んじる」とか「ナンバー1より、オンリー1」という文言が教育現場でも尊重されるようになり、とくに競技スポーツを中心とした部活動は勝つことよりも、チームワークを大事にしてチームの一員としてそれぞれの生徒の個性を尊重しよう、といった趣旨の、いわば「耳ざわり」のよい掛け声が大勢を占めてきたように感じる。こうした考え方がさらにエスカレートして、現在では勉強でも運動でも「良いところを伸ばしてあげる」ことが強調されるあまり、「ダメな部分を指摘する」のではなく、「ダメな部分は後回しに（スルー）する」といった風潮が出てきた。それに加えて、保護者、場合によっては生徒自身までもが、少子化の影響もあり、大事に育てられているせいか、「お客様意識」が強くなっているように感じる。

さて、野球の話に戻ると、試合である限り、勝たなければならない。大会に出場するならば、「オンリー1」どころか「ナンバー1」をめざすのも当然だろう。指導者の指示が守れない場合、ケガなどの危険にもつながる恐れもある。もちろん、暴力は絶対にいけないことだ。だからといって指導者と生徒の身分関係が分からなくなる程、指導者が遠慮したり、態度を曖昧にするのではなく、是々非々の精神をもち、毅然とした態度と口調で生徒指導に当たるべきだと考える。

4 医学部学生予備軍の人間性を見極めろ

ホテルで外国籍の女性を殺害したとして、２０１９年2月9日、都内の医系大学医学部2年の男子学生（当時20）が殺人容疑で逮捕されたことが、同日付け全国紙（電子版）で報じられた。記事によると逮捕時点で容疑者は、「棒で強くたたきすぎたが、殺すつもりはなかった」と容疑を否認していたようだ。事件の詳細などその後の経過は不明だが、逮捕当時の容疑者の認否がどうであれ、都内のホテルで女性と会っていたことには間違いないようだ。ホテルはＪＲ上野駅の隣の鶯谷という駅の近くにあるようだ。事件発生は前年の12月で、容疑者はホテルに向かう途中、秋葉原でトルクレンチを購入した、とも報じられた。

確かに医学部生も息抜きは必要で、勉強ばかりでは人間を「診る」優秀な医師にはなれないだろうし、事件を起こすような学生は例外中の例外のはずだ。彼らは、受験生時代から30倍から40倍以上の難関を突破して医学部（あるいは医科大学）に入学している学生がほとんどだ。私は本書の執筆時点で、医学部専門予備校で受験生に対して小論文などの教科を教えている。昨今、少子化で学力低下とか大学の定員割れが問題になっているが、医学部だけは別格だ。30年以上前の受験競争のように、たった1点の差で合否が決まる世界が続いていることは確かだ。

以前、医学部入試で、長年「浪人」をしている受験生や、女子に不公平な基準を設けていた、容疑者とは別の医科大学が問題になった。しかし、医学部受験生たちは、激戦を勝ち抜くことを強いられているのには間違いない。医学部入試は、主要科目である数学や理科、英語などの一次試験を突破すると、今度は小論文や面接の2次試験になる。そこで、総合点などで合否が分かれるのは大学によりまちまちのようだ。面接では「医師の志望理由」や「何科の医師になりたいか」など「定番」の質問がなされるほか、昨今では受験生の人間性を問う質問も増えているのが傾向として挙げられる。「親しい友人と喧嘩したらどのように仲直りをするか」「緊急時に80代と10代の患者が同じ病状で搬送されてきたら、どちらを優先するか」など、決して一つの「模範解答」がない質問が受験生に投げかけられる。

「結構、優秀な社員に成長するのではないか」と採用した若者がすぐに退社したり、仕事ができなかったりすることは、民間企業の就職試験でも同じではないか。それだけ人柄を見抜くことは難しいといえる。それでもやはり医師は人の生命や人生までをも預かる職業だ。大学側にはモラルを重視し、人間性を見抜く入試を心がけてもらいたいものだ。

5 いじめは教育現場の「チーム」対応が必要

西日本の市立中学2年の男子生徒が自殺したのはいじめが原因だとして、男子生徒の両親が元同級生3人らに計3800万円余りの損害賠償を求めた訴訟の判決が2019年2月にあり、1審判決では元同級生3人のうち2人のいじめ行為が男子生徒の自殺の原因と認め、2人に計3700万円余りの支払いを命じた。当時の報道によると判決は、男子生徒が顔を殴られたり蹴られたりする、制汗スプレーを使い切るまでふきつけられる、口に粘着テープを貼られ、手足を鉢巻きで縛られる、蜂の死骸を食べさせられそうになる…などの行為を元同級生2人から受けたと認定した。これらは「いじめ」レベルではなく、極めて悪質な「暴力」と言っても過言ではないのではないかと私は感じた。

こうしたいじめは、自殺につながらなくても学校関係者が一つの「チーム」として機能し、対策を講じる必要がある。記事によると、加害生徒と被害生徒は2年生の1学期は友人関係だったものの、2学期に「いじる側」と「いじられる側」という役割が固定化し、元同級生らが男子生徒を「格下」と見なすようになったそうだ。「いじる」行為と「いじめ」の境界線もわかりづらい部分がある。しかし、結果的に被害生徒は、前述したような悪質な行為を体験させられ、自殺に追い込まれたのは事実だ。もう少し早い時点で、学校関係者が発見して対処できなかったのかが悔やまれる。記事の解説によると、市の第三者調査委員会はその後、「元同級生二人のいじめが自殺の直接的原因」とする報告書をまとめた。そしてこの問題を機に「いじめ防止対策推進法」が施行されたとのことである。

しかし、同法施行後も「いじめ」や「いじめ自殺」が後を絶たないのも社会問題として挙げられる。まず大切なのは、いじめの「端緒らしき」動きを察知したら、教師も学年や学校全体で積極的に解決のために動くことが大切になる。教師や市教委など教育行政担当者の「事なかれ主義」による鈍い対応が、小さな命を奪うことになりかねない。当時の判決では元同級生の保護者に対しては、監督義務違反があったとまでは認められないと判断された。あくまでも裁判の判決は尊重したいが、一般的に考えて、子どもの監督責任はやはり保護者であり、子どもの行為について保護者は全く無関係とは言い難いのではないか、と感じた。いずれにしても教育現場の責任者は教師、家庭では保護者だろう。家庭と情報共有しながら「チーム学校」として積極的に取り組む姿勢が必要だ。

6 人工透析の中止問題を考える

東京都内にある病院で、２０１８年に、50代の外科医が、40代の腎臓病患者の女性に対して、人工透析をやめる選択肢を示し、透析治療中止を選んだ女性が1週間後に死亡したことを翌年3月の新聞が報じた。記事によると同病院では、他に2人の男性患者が治療を中止し、50代の男性患者の死亡が確認されたそうだ。患者の状態が極めて不良の時などに限り、治療中止を容認する日本透析医学会のガイドラインから逸脱し、都が立ち入り検査をしたそうだが、記事によると、医師と患者の遺族で主張に違いがあるように感じる。

記事によると、外科医は「透析治療を受けない権利を患者に認めるべきだ」とか「十分な意思確認がないまま透析治療が導入され、無益で偏った延命措置で患者が苦しんでいる」などと主張していたとのことだ。一方、死亡した女性は「透析はしない。最後は（この）病院でお願いしたい」といった主旨を内科医に伝え、「息が苦しい」と入院したとのことだ。

しかし、夫によると、その後女性は「透析中止を撤回する」と話し、夫は治療再開を外科医に求めたようだ。外科医は「こんなに苦しいなら、また透析をしようかな」という発言を女性から聞いたものの、苦痛を和らげる治療を実施し、女性は亡くなったそうだ。この時点では、報道を通じてしか判断材料がなく、他にもいろいろ文章では言い表せない状況や病状、医師と患者のやり取りなどがあったものと推察できる。しかし、少なくとも注目できる点は、医療のあるべき姿は、必ずしも医師が決めるものではないということだ。

私が主張したいのは、医療は患者のためにあるということだ。確かに医療の専門家である医師の立場からすれば、「この人には透析は向いていないかもしれない」と判断できる要素もあるかもしれない。ただ、あくまでも医療は患者のためにあるのであり、1％でも「医療を続けたい」という思いが患者側にあれば、医師は患者の意思を尊重すべきだ。それに医師は病気を治すことを最後まであきらめず、最善の努力を惜しまないことも必要だ。もちろん医師にも経験に基づく言論の自由はある。しかし、この記事を読む限り、もし女性患者本人の考えが変化して、「やはり治療を再開したい」という思いが確認できたとしたら、医師一人で判断するのではなく、医療チームで即刻、再検討すべきだったろうと思う。患者本人と家族に、現状を明確に説明する、インフォームドコンセント（説明と同意）を最後まで繰り返すことを忘れてはならなかったはずだ。チーム医療とインフォームドコンセントの両方がこの病院でどこまで緻密に機能していたかが、この病院以外の医療現場でも起こり得ることとして今後の課題になるだろう。

7 令和時代は新聞「紙」衰退の可能性

新しい令和の時代が始まり数年が経過した。新しい時代においては、メディアの紙媒体、とくに新聞の凋落ぶりが一段と激しくなることが予想される。一般社団法人日本新聞協会のＨＰによると、２０００年の新聞発行部数の総数は、５３７０万８８３１部で、１世帯当たりの部数が1．13だった。しかし、２０１８年になると３９９０万１５７６部で、１世帯当たり0．70と毎年減少し続けている。現在では、１部も購読していない家庭が増えているのが実情だ。これはインターネットとスマートフォンの普及が大きな原因と言える。とくに１９９０年代の終わりからヤフージャパンが登場して以来、「ニュースはタダ（無料）」という概念が人々に植え付けられたのだと考えられる。

さらに、不況の時代とともに、携帯電話が発達・進化を続け、現在のスマホ生活を構築した。不況でも各家庭で一人1台は携帯電話（現在はスマホ）を生活水準に関係なく所有する時代だ。当然、各家庭では家計のやりくりをしなければならない。そこで「何の代金を削るか」が焦点になったわけだ。電気や水道、ガスは最低限、必要だし、「節約」にも限界がある。子どもの将来を考えれば、塾などの教育費を削ることはなかなかできない。専業主婦のパート収入にも限界がある。そこで最初に注目されたのが新聞代ではなかったかと思う。何が起きているか、はインターネット、とくに無料のヤフージャパンやその他のネットニュースで十分だという考えが浸透したのだ。

それと相まって新聞の悪い面が浮き出てきた。地域により違いがあるものの、資源ごみとして分別しなければならないほか、一部の新聞社による「虚報」や「誤報」問題が明るみに出て、新聞社の社長までもが引責辞任する問題が発覚した。それまでは、「新聞記事は正確だが、インターネットの情報は信用できない部分もある」と考えられていたのが、「新聞とて本当のことを報じているとは限らない」という常識が一般の人々に浸透してしまったのだろう。残念ながら、新聞というよりも新聞紙の購読はますます減り続けるだろうと私は予測している。

しかし、私たちが民主主義社会の中で忘れてはならないのが、ジャーナリズムの重要性だ。政治家や中央省庁、大手企業など、広い意味での「権力」を握っている組織や人々が、私たちの生活に不利益を与える行為をしないか、社会の「監視装置」が必要だ。新聞「紙」はなくなってもコンテンツとしてのジャーナリズムや言論の自由をどう守っていくかを考え続けることこそ、民主主義国家の一員の責務といえるのではないだろうか。

8 自動車事故防止は運転者のモラル向上から

昨今、自動車が絡む交通事故のニュースが目立つような気がする。以前、西日本のある市では、自動車の交通事故により保育園児2人が死亡した。さらに少し前には高齢者ドライバーによるアクセルの踏み間違えと思われる事故が多発した時期があった。そのたびに全く無関係の通行人や店などが巻き添えになっているのが現状だ。昨今、私は70代以上の高齢者数人と自動車運転について話す機会があった。いずれも80歳前後で、運転免許を返上しようかどうしようか迷っているそうだ。家族からは「安全のためにも返上して」と言われているそうだ。しかし、ある高齢者は「少し離れた大型ショッピングセンターなどは駐車場もあり、自動車の方がまとめ買いもできて便利だ」と話していた。免許返上の可否も一概には言えないだろう。都市部と過疎化した地方都市では、事情が違うからだ。前述した高齢者のエピソードは東京都23区内での話だ。私はいくつかの地方都市に新聞記者として赴任していたことがあるが、地域によっては「コンビニに行くにも自動車がないと行けない」という地域があるのも事実で、家族全員が一台ずつ車を持っていて、生活の手段に欠かせない地域も少なくない。

まず言えることは、東京23区や関西の中心部など、ＪＲや私鉄、地下鉄が複数路線通っていて、数分置きに電車に乗れる地域では、自動車は極力乗らなくてもよいのではないかと思う。事件・事故の発生時のほか、災害時や救急対応など緊急車両を最優先させ、その次に物流関係でトラック輸送が必要な業界、病院や福祉施設に通う高齢者や障害がある人々が家族に送り迎えしてもらう自家用車やタクシー、福祉車両は必要だろう。公共交通としての路線バスも必要だ。しかし、大都市の健康な人で電車に乗ろうと思えばいつでも乗れる地域だとしたら、自家用車そのものが必要かどうかを再検討する必要はあるかもしれない。もちろん、自動車業界の存在を否定するものでは決してない。大型連休時のレジャーなどの際は公共交通を使うことも選択肢に考えてみてはどうだろうか。

確かに「公共交通だって事故が少なくない」という意見もあるだろう。そこで、運転者のモラルが最重要課題になっている。自動車は少し間違えば他人に怪我をさせたり死なせたりしてしまう「凶器」になりうる手段であることを再認識することだ。たまに、運転手が横の助手席の人をみて雑談をしながら運転している光景を見かける。「絶対に安全運転を心がける」と緊張感をもった運転がプロ・アマを問わず求められているはずだ。

9 「キセキの高校」特集を考える

日本経済新聞の社会面に2019年5月14日から18日まで5日間にわたり、「キセキの高校」という連載特集が5回掲載された。私は大学や予備校で教えている立場上、興味をもって毎日読んだ。「詳細は電子版に」あるという記載があり、私は新聞紙面上しか読む機会がなかった。これを読んだ感想は、タイトルの「キセキ」とはどういう意味なのか、という疑問だ。そして、仮に「奇跡」だとすると、エピソードとして出てくる高校は単に「奇跡」と言えるのか、因果関係は何か、わかりづらい点があった印象を持った。

特に私が気になったのは第1回目の記事だ。連載の舞台はある都立高校。偏差値が40で「都立高では最低に低い」と定義していた。そして「ところがここ3年、有名私大や公立大への進学者が相次ぐ。合格者は『哲学対話』という集いを経験した」とあった。記事によると「哲学対話」とは、「生徒ら10～20人が車座を囲む。1つのテーマを決めて質問し、答え合う。約90分の集いだ。ルールがある。『自由に意見を言っていい。でも他人を否定してはだめ』」とある。近頃、小学校から大学まで流行している、対話型のアクティブ・ラーニング（AL）と言われるグループ学習があるが、私はそのALの一種だと感じた。記事に戻ると、ある女子生徒は偏差値が「最難関」の都内の私大外国語学部に合格し、記事の中では、出身高校名をいうと「同級生は驚く」とまで書いてあった。

そこで私が疑問に思ったのは、まず、①偏差値の低い高校から「超難関大学」に合格すると「キセキ（奇跡）」と言えるのか。また、②それは本当に同高校が取り入れた「哲学対話」の結果であると言い切れるのか、因果関係が連載全体を一読しても科学的に立証されていないと感じた。①についていえば、昔から受験勉強の開始直後は偏差値が低く、のちに急激に上がる経験は比較的多数の人がもっているはずだ。つまり偏差値が高くなった生徒本人の努力による部分も大きいということだ。偏差値の低い高校から「超難関校」に入っただけで「キセキ（奇跡）」の例と言えるのか、とも思う。

一般論だが、昨今、教師が講義をするだけでなく、グループワークなど双方向型の授業というのはよく行われている手法だが、その効果が科学的に実証されていない点が少なくない。

確かに生徒にアンケートをとると「楽しかった」とか「新たな発見があった」など前向きな回答が多いが、だからと言ってそれが「学習効果があった証拠」になるかは別問題と言える。少なくともこの記事は、その辺りまで、踏み込んだ取材が必要だったのではないかと感じた。

10 医師の都市偏在対策を考える

2019年5月24日付の日本経済新聞1面で「診療所　都市偏在を是正」という見出しのニュースが報じられた。記事によると、厚生労働省は診療所の新設が都市部に集中する状況を是正する対策として、医師が多い地域での開業には在宅医療や休日・夜間の診療などを担うことを求めるそうだ。厚労省が全国を335の医療圏に分け、人口構成や患者の移動などを考慮した人口10万人あたりの外来医師の数を集計した結果、全国平均は105だったが、東京都心部は192人、大阪市は129人、福岡市とその周辺は144人にのぼったそうだ。一方、福島県や香川県などでは50人を切る地域もあるという。確かに、「仮に地方の医学部を卒業しても、いずれは東京など都市部に戻りたい」と本音を話す「医師の卵」である医学部受験生も少なくない。また、単純に比較できないのは、開業医、つまりこの報道で問題となった診療所を含めると、経営から患者の応対まで全部医師が先頭に立つ必要があるが、民間病院などの勤務医だとその手間が省ける。しかし、収入については、後者だと地域によって差があるものの、同じ病院に勤務していればある程度は一定であるのに対し、開業医、診療所だと患者数にばらつきの恐れがあり「ハイリスクハイリターン」の部分がある。また、土地の値段や交通の便なども考える必要がある。東京都心部は確かに医師数が多いかもしれないが、家賃が高いため、オフィスビルなどを借りている医師だと、一日当たりの患者数が多くないと、経営が成り立たないという面がある。地方だと診療所や病院は少ないし、自動車を運転できないと通院すらできない地域もある。しかし、「昔からの付き合い」でその診療所を選ぶような「固定層」の人間関係もあり、都市部か地方かといった分類や比較は一概にはできないのではないかと思われる。

都市部で休日や夜間診療を中心に行う診療所が増えると有給休暇が取りづらいビジネスパースンなどは便利かもしれない。一方、在宅医療が「必須」となる場合、注意が必要だ。ある知人は要介護度が高い高齢の親を介護するのに、福祉施設に預けるか、自宅で訪問介護を受けるか迷ったそうだ。かかりつけの医師を交えた家族会議の結果、医師が「私がすべて面倒をみます」と言って、その家族は訪問医療を含めた自宅での介護を選んだという。もちろんこの医師が該当するとは言わないが、医師がビジネスとして「在宅介護」を「営業」するようになるとしたら、見当違いだろう。医療は患者とその家族の利益になるべきであることは、行政関係者に加え医療や福祉関係者は忘れてはならない。今後、コロナウイルスの蔓延など想定外の感染症のリスクなども総合的に考えていく必要も出てきている。

11 私立大の吸収合併時代到来か

文部科学省は2019年に、私立大学間の学部譲渡をしやすくするため、関連法令を改正し、その内容を全国の学校法人などに通知したことが新聞で報じられた。記事によると、従来は学部を一度廃止して譲渡先の大学が改めて新設する必要があったが、より少ない手続きで可能となるようだ。18歳人口の減少で、大学経営は厳しさを増しており、私大の再編・統合を後押しする効果があるとみているそうだ。私はいよいよ私立大学の合併や統廃合が現実味を帯びてきたのではないかと推察している。

記事によると、私立大学法の施行細則を見直し、これまで必要だった経営状況や校地・校舎、教員数、教育課程などの審査が不要になり、大学側の負担が軽くなるようだ。ただし、経営や教育・研究の環境が譲渡前と同じ水準に保たれることが条件となっている。定員割れを起こしている大学が、現状よりも比較的規模が大きく、経営状態のよい大学に吸収されるなど立地条件がよくなることで、入学してくる学生がより快適に過ごせるようになることも大事な要素だろう。

これまで、文科省は、首都圏や近畿圏など都市部の大学に入学する学生が集中するため、2016年から2018年度まで、超過入学者数に応じた学生経費相当額を減額する措置をとり、入学定員を超過した都市部の大学には補助金を出さない厳格な措置をとった。そのため大都市圏の大学ばかりに学生が偏るのを防ぎ、一定の効果があったものとみられる。そこで文科省は2018年9月に通知を出し、2019年度以降はひとまずこうした補助金打ち切り措置を見送り、3年後に見直すことを表明した。再び都市部の大学が多くの受験生を合格させれば、地方や小規模な大学は定員割れを起こしてしまう恐れもある。私自身、複数の小規模大学で教鞭をとっているが、確かにそういった大学でも、ここ数年は結果的に定員を満たして活気が戻ってきたようにもみられる。しかし、中には入学直後から長期欠席をしてドロップアウトしてしまう学生も少なくないようだ。そうした学生の理由の中には「不本意入学」も含まれているようだ。

あくまでも大学は、学生の将来を担った「社会人」の養成機関のはずだ。数字合わせだけで生き残りをかけるには限界があり、それは誰のためなのか疑問に感じる。社会科学系の学部しかない大学と人文科学や自然科学系の大学が統合し、新たな一歩を目指すことができるのなら、学生にとり、選択科目が増えるなどメリットも出てくるのではないだろうか。

12 「かかりつけ医」制度を考える

厚生労働省は、患者がかかりつけ医を任意で登録する制度の検討を始めたことを2019年6月の日本経済新聞が報じた。記事によると、診察料を月単位の定額として過剰な医療の提供を抑えたり、かかりつけ医以外を受診する場合は負担を上乗せして大病院の利用を減らしたりする案を検討するそうだ。確かに日本人は「大学病院（大病院）信仰」と言うか、「大病院の方がいい治療が受けられるのではないか」とか、「大病院の方がいい薬を出してくれるのではないか」と考える人が少なくない。そこで本当に緊急治療を要する患者や大病院でしかできない大がかりな検査を必要とする患者を優先できない、といった問題も生じている。そこで普通の風邪の疑いが強かったり、常用している薬を追加でもらったりするだけなら、近所のクリニック（医院）で十分ではないかという意見には、基本的に私も賛成だ。私自身も事実上の「かかりつけ医」がいる。しかし、この考え方は慎重に実施する必要がある。

例えば、咳などが続く人が「単に風邪が少しひどくなっただけだろう」とドラッグストアで手に入る薬で生活し続けていたところ、なかなか治らない。そこで医院に行きレントゲン撮影をしたところ、結核がみつかった、などということも全くあり得ないとも限らない。患者のほとんどは医学の素人だからこそ、積極的に医院や病院に行ける環境は残しておいた方がよいのだ。日本は赤字財政で、超高齢社会であることも相まって医療費がかかりすぎている実態がある。そのため、ほとんどの調剤薬局などでは、先発品より安価なものが多い後発品（ジェネリック医薬品）を推奨している現状もある。しかし、医療の場合は、人々の健康や命に関わる問題であり、その点、国民は自分がしてもらいたい医療に対しては、遠慮する必要はないと考える。

また、医師といっても住宅街やオフィス街にクリニックを構える医師であれば、例えば「内科」の看板を出していれば、胃腸病から心臓、血圧まで何でも診断できるのが普通だ。しかし、厳密にいうとクリニックの医師とて消化器内科とか循環器内科など、おおよその専門分野がある。専門外の分野ならやはり大病院に紹介状を書いてもらい、積極的に大病院を受診して精密検査を受けるなど、患者の側も主張すべきことはしっかりと意思表示した方がよいだろう。昔のように「医師」の白衣を着ているだけで、完全に「お任せ」にしてしまうようでは、患者としても責任を果たしているとは言えないかもしれない。

13 求められる新聞業界の再編

ある大手全国紙の一つで、200人規模の早期退職者を募り、「サラリーマン記者」らが事実上のリストラに追い込まれていることを、2019年7月2日配信の週刊ダイヤモンド（電子版）が報じた。これより先に同年に、別の全国紙でも多数の早期退職者が募集され業界内で話題になった。もはや全く新聞を購読していない家庭も珍しくない時代で、すべての新聞社が業界の在り方、新聞の作り方を真剣に考えなければならない時代だと言える。しかし、まず私が強調したいのは、「新聞紙」はなくなっても新聞社で記者として教育された取材力やジャーナリズムそのものが衰退しては、民主主義国家が成立しなくなるということだ。ならばどうすればよいのか。

日本のように、各地域で地元の新聞が読める環境にあるのも珍しいと言える。全国に複数の「本社」を置き、県庁所在地や政令指定都市、中核市、そして海外にまで支局や通信部（駐在記者）を置いている新聞を全国紙と言う。また、その県ごとにくまなく取材網をもっている新聞が県紙（地方紙）と言う。また複数の県をまたいで地域ごとに取材網と配達地域をもつブロック紙がある。県紙の場合は地元の話題が豊富で独自色があるが、全国紙の場合は、社の主張を載せる「社説」など一部の記事を除いては、同じニュースを掲載している「護送船団方式」がいまだに続いているのも現実だ。そこで私はいくつか提案したい。

政府や地方自治体などの公式発表の記事などは、通信社の記事を共通で掲載することで十分ではないか。あるいは、地方の支局なども一気に全廃して、地元の県紙と協定を結び、地方のニュース欄は地元紙と共通記事を掲載し、逆に東京の国会や財界、国際面など県紙がカバーしきれないニュースを全国紙が県紙に提供することはできないだろうか。さらに早期に夕刊を廃止することだ。新聞には印刷や輸送工程があるため、締め切り時間がある。平日の夕方に薄い夕刊が家庭に届いても、掲載されているニュースはすでにネットで配信されている記事ばかりなのだ。また、例えば東京には、実は東京独自の「県紙」がない。東京新聞という中日新聞系の新聞があるが、全国紙の体裁を踏襲し、取材し、掲載している。私は東京新聞に期待している。東京の話題をもっと掘り下げて、東京の「県紙」になってほしいと願っている。この際、政治や経済、国際問題は他紙に任せてはどうか。東京の人口は約１３００万人。本書の執筆時点では女性の都知事がいて、さらに23区は特別区として各区長が選挙で選ばれる。都庁の発表ものではなく、それを基に教育や福祉、生活や老後や子育てなど、東京で生活する人の暮らしに直結する問題をページを多く割いて多角的に深く掘り下げるメディアが存在することは、都民のためにも重要な情報ツールになると考える。

14 市販薬か処方薬かを選ぶのは患者のはず

医療費抑制につながる市販薬の利用が広がらない、といった話題が2019年7月の日本経済新聞で報じられた。「市販薬あるのに　病院処方5000億円」との見出しがついていた。同社の調べで、湿布や鼻炎薬など市販薬があるのに、利用者が病院に通って処方される医薬品の総額が5000億円を超すというもので、理由は、処方薬の方が、自己負担が3割と安いためで、残りは税金や保険料で賄うからとされた。記事では、一律に保険を使う制度を改め、代えがきかない新薬に財源を振り向ける必要があるとしている。この記事をみて、報道する側は、国や政府と患者のどちらを向いて伝えているのか、疑問に感じた。

記事にもあるように、胃薬など、もともとは医師の処方だったものを、副作用の心配が少ないとして、一般用として認めた市販薬を「スイッチOTC」と呼んでいる。OTCとは「オーバー・ザ・カウンター」の略で、ドラッグストアなどで買える薬のことである。ドラッグストアで買えるといっても陳列棚に並んでいて、客が自分で手にとって買える薬と、陳列ケースの中にあり、薬剤師に相談の上、出してもらえる薬があるが、OTCは後者である。有名タレントが紹介している胃薬や鼻炎薬、毛生え薬などのコマーシャルをよく見かける。

私も胃薬や鼻炎薬をドラッグストアで売っていることを知りながら、医師に処方薬として出してもらった経験がある。胃薬といっても消化促進効果が主のものもあれば、胃の粘膜を保護するものなどいろいろだ。鼻風邪なのか、アレルギー性鼻炎なのか判断がつかないこともある。そのため、医師に症状を具体的に聞いてもらってから処方してもらうことにしている。確かにドラッグストアの薬剤師も相談には乗ってくれるだろう。しかし、私の経験から、医師が診察するのと薬剤師の相談では内容や質、レベルが明らかに違うと感じている。国家予算は社会保障費が膨らみ赤字財政で、いつか、誰かが解決しなければならないことはわかる。しかし、薬は人々の健康や命に直結するものだ。湿布薬一つでも、単なる肩こりもあれば、骨が変形していてしびれが手先などにまで響き、リハビリが必要なほどの肩こりもあり、「湿布程度ならドラッグストアで大丈夫」とは言い切れない病気も少なくない。

昭和時代の病院では、患者を「検査漬け」「薬漬け」にして、「念のためビタミン剤も出しておきましょう」などという医療が横行していた。それが国家予算の赤字が顕著になると、患者に薬を減らすよう促したり、安価なOTC医薬品や後発医薬品を推奨させたりというのは、まさに本末転倒、「誰のための医療なのか」と言いたくなるのは私だけだろうか。

15 企業などの防犯対策を見直そう

多くの人気作品を制作してきた京都のアニメーション制作会社のスタジオが放火され、多数の犠牲者が出た事件で、2019年7月19日付の毎日新聞社説では「残忍な事件に憤りを覚える」と追悼の文章を掲載した。他紙にも事件の全容解明や再発防止を願う記事が多く掲載された。私はアニメのことは詳しくないが、多数の名作を生みだした職人気質の社員の人々が犠牲になったことは残念でたまらない。そして、この事件を機に考えなければならないことがあると感じた。それは、例えば、比較的古いビルを使っているオフィスや塾や予備校、病院など多くの人々が集まる建物、事実上の「公共施設」の防犯対策を、もう一度見直す必要があると思う。今回は火災自体も大惨事だったが、私は民間の施設を回っていて、「万が一ここに不審者が入ってきたら大丈夫だろうか」と思うことが度々ある。例えば、子どもや患者などが集まる塾や予備校、病院などだ。確かにこれらの場所では、警備員を雇うなどして対策をたてている施設も少なくない。しかし、両者に共通するのは、昼間から夜遅くまで入館できることである。例えば、塾や予備校などで授業中、職員が新入生徒や保護者を招いて面談や進路相談などを行うことがある。そうすると、事務局には一時期、誰もいなくなる時間が増える。防犯カメラなどはついており、一見、問題ないように見える。

病院や学校施設などについても警備員を雇うのは必要だが、どこまで目が行き届いているか、施設により差があるように感じる。もちろん、授業料を払う「お客様」でもある保護者が相談にくれば、優先して対応しなければならないことはわかる。しかし、例えば、夜間でも職員のローテーションを複数にして、一人は必ず受付についているとか、ドアを開けっぱなしにしない、見慣れない人物が入室してきた場合は、積極的に当事者に声をかけるだけでなく、職員同士で声を掛け合い、連絡を密にするなど、工夫次第で意識改革も含めた防犯対策が向上するはずだ。

ある大学で体調が悪くなった学生がおり、たまたま通りかかった事務職員が保健室の看護師を呼んだのはいいのだが、校舎が複数あり、到着まで10分以上かかったことがあった。職員も時間がかかっているることにあまり関心がないようだった。しかし、目の前で事件や、急病人が出た場合、関係者全員が、緊急連絡先を把握し、対応の仕方を話し合っておくだけでも大事件や事故につながる確率は低くなるはずだ。経費をかけて防犯カメラをつければよいというものでは決してない。振り返ると企業や組織は人の生命を預かることが少なくなく、万が一の際、皆が一致団結し、機敏に対応できるよう申し合わせをしておく必要があるのではないかと感じる。

16 高校野球の転換期に考える

夏休みのスポーツといえば、甲子園球場で繰り広げられる高校野球を思い浮かべる人も少なくないだろう。私は記者経験があるが、新聞社に正社員として勤務する新聞記者にとり、高校野球取材は昔から「必修科目」のようなものだ。地方支局在勤中は、地元の県予選に多かれ少なかれ関わるのが普通である。試合展開や応援団のスタンド雑感など、取材する「ネタ」が多彩である一方、試合の合間に監督や主将の談話を取材して、手際よく、しかも正確に取材することが「記者修行」の一つであるともされてきた。毎年、夏の予選シーズンになると、地元のローカルニュースを扱う「地方版」では高校野球の結果が大半を占め、スポーツ新聞のようになるのが一般的とされてきた。実際、2つの大手新聞社が春の「センバツ」と夏の高校野球の主催社に名前を連ねているが、主催社でない新聞社でも同じだけの紙面を割くのが普通だ。その高校野球も変革期に来ているようだ。

２０１９年8月4日付読売新聞では、「甲子園より選手生命」という見出しのニュースが報じられた。記事では、「今大会から準決勝翌日にも休養日を設けるなど、将来を見越した負担軽減策が模索されている。高校野球は転換期を迎えている」と伝えている。記事でも紹介されているが、7月の岩手大会で、強豪校の一つが決勝戦の際、エースの投手を起用せず、敗退したニュースは高校野球ファンを驚かせた。記事の中である学識経験者は、この監督の判断は「意義がある」と評価した。投手のけが予防や身体保護のため、球数制限の議論が本格化しているようだ。記事では「過密日程の見直しも避けては通れない」とし、地方大会でも休養日を設ける地域が増えてきている傾向を紹介している。

高校野球の大胆な改革が求められているが、これは主催する新聞社側にも責任があると考える。昔はメディアと言えばまずは新聞が想定され、地元代表校の活躍ぶりは新聞で詳細を知ることが第一とされた時代があった。高度経済成長時代であれば、地元代表校の活躍ぶりを掲載している新聞の販売促進策としても高校野球が利用されていた。しかし、現在では試合結果はインターネットでリアルタイムで速報されている。翌日の新聞を熟読する必要はなくなってきている。また、そもそもインターネットで情報が氾濫し、地方を中心に人口が減少している時代に、「各都道府県から1校」というのも、出場校が多い都市部のチームからすれば不公平感は拭い去れないのではないか。出場校の決め方、大会のあり方など、関係者を中心に熟考する時期にきているのではないだろうか。

17 京浜急行の衝突事故から考える街づくり

横浜市を走る私鉄の踏切で2019年9月5日、快特電車（8両編成、乗客約500人）が大型トラックに衝突し、トラックの男性運転手（当時67）が死亡し、乗客と電車の男性運転士（当時28）ら計35人が軽傷を負った。同月7日付毎日新聞（電子版）によると、事故から2日経過した7日に、運休していた私鉄の区間で運転を再開したそうだ。この事故の発生当初、トラックの所有会社や私鉄側を警察が捜査したが、残念ながらトラック運転手が死亡していることもあり、捜査が難航した。しかし、一部の報道によると当時の捜査開始時点で、事故現場付近の防犯カメラの映像をつなぎ合わせ、どういう経路でトラックが事故現場まで到達したかなど、当時の状況が判明していたようだ。

ただ、当時の報道を見る限り、トラック運転手がきちんと安全確認をしながら運転していたか、電車の運転手はどの段階で線路内に侵入しているトラックに気づいたのか、とても重要な要素になった。

こうした問題を受けて、とくに今回は東京周辺の首都圏中心の話題ではあるが、地方の読者の方にもぜひ関心をもってもらいたい件がある。それは東京周辺の在来線では、JRやその他私鉄を問わず、連日、人身事故など鉄道の事故やトラブルが多発しているということである。インターネットサイトの電車遅延情報も毎日、首都圏のどこかの路線で人身事故などが生じている。私も東京都内の私鉄沿線に住んでおり、仕事に行くまでに事故で電車がストップしないか、いつも気がかりな状況が続いているが、首都圏の住民のほとんどが、同じ心境ではないだろうか。

このような事故を機に触れる問題かどうかは別にして、私の住居地の周辺では、私鉄の線路の高架化や地下化が課題になっている地域が少なくない。多数の飲食店などで有名な下北沢も小田急線の駅が地下化し、その周辺の踏切における通勤通学時間帯のいわゆる「開かずの踏切」問題は一段落した。私の住む私鉄の駅周辺でも線路の高架化が話題になっているが、線路わきの一部の住民が反対している。線路を高架化すると自宅が日陰になってしまうからだろう。たいてい、地下化や高架化に合わせ、周辺地帯の再開発・高層ビルやマンションの建設もよく行われる。立ち退き問題など当事者の住民にとっては深刻だが、人と車と電車のあり方について、特に都市部の社会の問題として地域ぐるみで考えてみてはどうだろうか。

18 「ネット依存」の防止策を考えよう

「バカでキレる子を量産する『ネット依存』の怖さ」と題した記事が「プレジデントオンライン」(2019年9月11日配信)に掲載された。著者は統計データ分析家である。この記事を参考にしながら、日本国内でネット依存を防止する対策はないか考えたい。

記事によると、SNSやゲームなどで「ネット依存」となる高校生が世界中で増えており、「ネット依存の高校生は『生活満足度』や『学力』が低い傾向にある。酒やタバコと同じような規制を考えるべきだ」とこの筆者は主張した。実際、世界保健機関(WHO)が同年5月、オンラインゲームにのめり込み、生活や健康に深刻な影響が出た状態を「ゲーム障害（依存症）」と呼び、精神疾患と位置付ける『国際疾病分類』を決定したそうだ。ＯＥＣＤ諸国の中で高校1年生が学校外（家庭）でネットを使用している時間は、スウェーデン、英国、チリ、ロシア、ブラジルなどでは平日でも3時間を超えているそうだ。6時間以上依存している場合は、「極端利用者」とされ、「ネット依存」の高校生の比率はＯＥＣＤ諸国平均で16・２％とのことだ。ただし、日本では比較的低く、6．４％という。これはネットばかり使用することを禁じる教師や親の言うことを比較的聞いているのではないかとされている。

しかし、現実的にはどうだろうか。国内でも、電車に乗っていても、通勤通学の途中で、スマホをいじり、そのほとんどが、ゲームや動画、メールなどにのめりこんでいる。どうみてもその内容は喫緊の課題とは言えず、満員電車の中で窮屈な思いをしてまでやらなければならない行動ではなさそうだ。深刻なのは成人ではないかと思われる。まだ、医学の面では分析や治療法などは研究途上かもしれない。しかし、明らかに身体はもとより、脳を休める時間を消耗している行為であることには違いないようだ。スマホをいじりながら、駅のホームで転落しそうになったり、他人にぶつかっても何も言わずに通り過ぎたりする人が、あまりにも多いのを放っておいてよいのだろうか。実際、暴力を伴うトラブルも多発しているようだ。

そうした状況に抵抗しているのか、首都圏では最近、電車の中で読書をしている人をよくみかけるようになった。「ネット依存」が人々の心身を消耗させたり、他人の身体を傷つけたりする行為に結び付くのであれば、前述した記事が指摘しているように、スマホ税を原資とした疫学的研究の促進、および病気としての認知や学校における啓発活動の普及など、社会全体で取り組む必要があると感じる。まずは政府レベルで、例えば、国土交通省や警察庁に加え、厚生労働省など中央省庁が先頭にたち、医療や福祉の専門家が連携して対策をたてるべきだ。

19 「デジタルタトゥー」問題から考える

本項では「デジタルタトゥー」について考えてみたい。2019年9月配信の文春オンラインでは、少女に暴行した中学生の動画が拡散され、さらに、加害者の名前や顔がネット上で拡散されたそうだ。記事によると特定された顔や動画が一生消えない状態を「デジタルタトゥー」と呼ぶらしい。炎上すると次々に個人情報がさらされる状況について、専門家は広告目的のサイトもあるとしている。

第一に考えたいのが、「匿名社会」の陰湿さだ。「個人」を特定して「さらし者」にする状態は、ネット上で問題となっている。この記事が発信された当時、自動車の「あおり運転」事件で、全くの別人が事件に関与したようにネット上で情報が拡散したことがあった。人々の行動にも「匿名主義」が優先されていることが窺える。例えば、大学では現在、授業に対して年度の最終週が迫ると、学内サイトなどで授業アンケートを実施するのが通例だ。アンケート用紙を配布して、別途「実名」で意見を聞くと、「とても有意義な授業だった」「新たな発見があった」など前向きな「感想」を書いてくる学生が多いので安心していると、匿名によるアンケートの方は授業に対して感情的でかつ批判的な意見がみられることがある。もちろん大学により結果はさまざまで、このような結果が出る大学はごく一部だと感じている。「アンケートの内容次第で成績評価には関係ない」としていても同じ結果である場合がある。これは若い人、とくに「ネット世代」「スマホ世代」に「匿名」なら好きなことを言ったり、根拠のない情報を流したりしても構わない、という感覚が生じているのではないかと推察している。こうした状況は自分の言動に責任をとらない人間ばかりの社会につながるのではないだろうか。

次に、「デジタルタトゥー」の状況が「広告収入狙い」のビジネスになっている恐れがあることも問題視された。以前、いい加減な情報ばかりを集めた「まとめサイト」が問題になったが、記事を読む限り、こうした問題は後を絶たないようだ。

同じく記事にも書かれてあるように、プロのマスコミ報道と、一般の人が流す情報の線引きが難しくなっていることも事実かもしれない。何が事実なのかを見極める「メディアリテラシー」の能力も必要になってきている。確かに、ネットをみると「○○の売れ行きが止まらない」などといった情報がいまだに流れている。「止まらない」ならそれ以上の広告は必要ないのでは、と素朴に感じるが、企業の側の消費者心理を狙った作戦ではないかと思う。こうした無責任に流れるネット上の情報をどのように監視し、阻止できるかが、売れ行きを気にする企業も含めた、現代社会の課題ではないだろうか。

20 台風災害派遣を考える

２０１９年９月上旬に発生した台風15号により、千葉県をはじめ、関東地方において被災された方には心よりお見舞い申し上げたい。テレビなどでは家屋の屋根などが壊れたり、家によっては全壊・半壊状態になって、「(業者から) 解体するしか方法がないと言われた」と語る住民の方が多数いた。改めて自然災害の恐ろしさを感じた。実は私の住む東京都内も含め、一部損壊など台風による被害が千葉県以外でも生じていることが確認できた。時間が経過するにつれ、住民からの正式な罹災申請が出された上で、今回の台風被害の全貌が明らかになった。ただ、被災した人からすれば、何から手をつけてよいかわからず、市役所などへの申請や保険の手続きなど事務処理に時間がかかり、政府や地方自治体の全貌把握までには、時間がかかったと想定される。

そういった中で、２０１９年９月27日付で防衛省が「令和元年台風15号に伴う千葉県及び神奈川県の停電に係る災害派遣 (7時現在)」という速報を出した。このニュースリリースによると、９月10日から13日にかけては千葉県を中心に神奈川県に至るまで、陸自、空自、海自それぞれの各地に駐在する部隊が給水支援や入浴支援、倒木等の除去のために多数出動していることがわかった。活動実績は、「一般向け給水支援」や「病院等向け給水支援」、それに「患者空輸」、「停電復旧作業等のための倒木・土砂除去の支援」などさまざまな活動をしているのがわかる。このような活動状況はなかなか報道されない現状がある。確かに自然災害に限っても、被災者の住民の人たちの苦労は計り知れないものがあるに違いない。しかし、そうした「ヒューマンストーリー」だけでなく、「縁の下の力持ち」の話もきちんと報じる必要がある。そうしてこそ「公正中立」の報道と言えるのではないだろうか。活動内容は多彩だ。「高圧線整備に係る伐採作業等」、「低圧線整備に係る伐採作業等」、「入浴支援」、「ブルーシートの展張支援」、「ブルーシートの輸送支援」、「LEDランタンの輸送支援」、「情報収集」など多岐にわたる。もちろん、中央省庁や地元自治体の行政関係者も自分の自宅が壊れていても、市民のために働いているという人も少なくないことが想定される。

確かに彼らは国民の税金によって給料を得ており、国民の安全のために尽くすのが使命であることには違いない。だからといって彼らなくしては、災害復旧はできないことを、今一度、再確認する必要が、国民一人一人にあるのではないだろうか。

21 唖然とする小学校教諭のいじめ事件

西日本の市立小学校教諭が、20代の男性教諭らをいじめていたことを市教委が明らかにした。2019年10月4日配信の地元紙の電子版によると、20代男性教諭は同僚の先輩教諭4人に暴行や暴言などのいじめ行為を受けていた。加害者側は、身体をたたく、足を踏むなどの暴力行為、性的内容を含む人格侵害行為、男性教諭の器物損壊などもあったとされた。男性教諭以外にも3人の若手教諭がいじめ行為を受けていたことが明らかになった。児童や生徒のいじめが深刻な社会問題になっている。教員はそうした子どもの被害を少しでも食い止める役割が求められている中で、教員自身がいじめを繰り返すなど、まさに言語道断だ。このような加害教諭には懲戒免職処分をはじめ、場合によっては刑事処分も必要だろう。暴力行為が事実なら警察が捜査に乗り出す必要がある。

現在、全国的に教員志望の若者が減っている。メディアなどで、部活動などを担当し、教科の準備や保護者への対応に追われ、残業するのが当たり前とされる教員の職場はまさに「ブラック職場」と考えられ、教員採用試験の倍率が下がり続けている。教員志望の若者には、倍率が低いことは「(教師として)就職しやすい」ことになり朗報かもしれない。しかし、競争率が低ければその分、優秀な人材が集まりにくくなるのは、どの業種においても同じことだ。まして、今回のような先輩教諭からいじめを受けることが日常化していることが想定できれば、なおさら若手人材が集まらなくなるはずだ。

当時の報道によれば、男性教諭は彼を揶揄するようなあだ名をつけられていたそうだ。確かに20代の教諭は、想像の範囲内だが、至らない点があったのかもしれない。しかし、それを育てていくのが先輩教諭であり、学校ぐるみで教育の質を高めていくのが教員の役割ではないか。教員について、優秀な人材を集めるのは大変難しいことだ。もちろん偏差値の高い大学さえ出ていれば、優秀な教員であるかといえば決してそうとは限らない。頭が良いだけでなく、人格的にも優れていなければ教壇に立つ資格などあり得ない。全国の教育委員会は児童や生徒だけでなく、教員間にもいじめなどのトラブルがないか調査に乗り出す必要があり、文部科学省も今回の問題を一地域の問題とは片付けないほうがよいだろう。なぜなら、教員は人々の子どもの学力だけでなく、生命や人生を預かる、重大な責任を抱えた職業だからである。

22 東京五輪の一部札幌開催を機に考える

２０２１年夏に行われた東京五輪の一部種目を札幌市で開催する案が、国際オリンピック委員会により２０１９年10月時点で出されていた。これだけ酷暑の夏が当たり前になった日本において、東京都では大会期間中の暑さ対策をいろいろな方面から練ったようだが、酷暑の夏に加え、秋になってからの台風の猛威など、日本の温暖な気候はどこへ行ってしまったのかと考えたくなる。その背景には、地球温暖化対策を考えなければならない。世界各国に突き付けられている課題があるのではないだろうか。

決定当初、ＩＯＣ会長の（札幌開催を進める計画があるという趣旨の）発言を受けて大会組織委員会側は「ＩＯＣと国際陸上競技連盟が賛成したのを組織委が『ダメです』といえるのか」と容認する姿勢を見せた。アスリートや世界各国から日本を訪れる観客および観光客のことを思えば、東京五輪を観戦しに行って体調不良を訴える人たちで溢れかえった、などという印象がついたのでは、世界中のメディアから「日本はきちんと準備しなかったのか」と大会終了後、酷評されるのは目に見えていた。そうした点からも東京五輪は「オール日本」で開催することもでき、実際はコロナウイルスの蔓延の中、１年遅れで実施されたものの、当初は日本全体が観光面などでも盛り上がることも期待できる要素があった。欧米や中国大陸などの人からしてみれば、日本の狭い国土で、東京や札幌など国内で分散しても、さほど気にならないのではないか。

しかし、これを機に考えなければならないことがある。日本および各国に突き付けられた課題は、「東京五輪後」にも「持続可能」な五輪のあり方を考える必要があることだ。確かに、放映権料などのビジネス化も極めて問題だが、さらにその背景にある地球温暖化問題は、世界のすべての国や地域が考えないと解決できない。昨今の酷暑や豪雨、台風、地震など自然災害を多数経験した日本から、地球温暖化対策を一歩前進させる提案や発言の必要性が、コロナウイルス蔓延防止も大事ではあるが、もう一つの世界的課題として、存在していることを忘れてはならない。

23 お笑い芸人にもモラルが必要

2019年10月に、バラエティ番組などに出演するお笑いコンビの一人が、自分で設立した会社による1億円以上の申告漏れを国税局から指摘されていたことがわかった。2019年10月24日付報道によると、彼は所属事務所から東京都内にある会社を通じて出演料などを受け取っていた。2018年3月期までの3年間の法人所得約1億1800万円を申告していなかったほか、旅行代など約2000万円の個人的な支出を会社の経費として計上し、所得隠しと判断されたらしい。記者会見で彼は「ごまかそうとしていたんだ、と思われても致し方ないことをした」などと話したという。この芸人は私もよく見るバラエティ番組には必ずといってよいほど出演しており、お笑い芸人の中では比較的好感のもてる人物だった。話しぶりや他の共演者とやりとりする際のネタの内容など、楽しめる人物で、40代とは言え、いずれお笑い界のベテランの一人として芸能界を背負い、若手芸人の見本となるようなコンビの一人なのだろうと期待していた。数日後の報道では、彼は社会保険にも未加入で、税務調査を受けるまで期限内に申告したことがなく、銀行預金が差し押さえられていたこともあったそうだ。税務当局とのやりとりがあった最中に、テレビなどに出演し、何事もなかったかのように装い、お笑いネタを視聴者に提供していたとしたら、悪質と言わざるを得ない。

かつては別のお笑い芸人が、反社会的な組織の人物と交際していたことが報じられ、謹慎したことがあった。この両者に通じることは、「モラルのなさ」、「社会常識のなさ」と言っても過言ではない。私は芸能界そのものの「常識」というか慣例やしきたりは知らない。しかし、テレビなどの出演回数が増え、有名になればなるほど「うぬぼれ」が強くなり、「この程度は許容範囲ではないか」と軽く考えてしまうのではないかと想像する。メディアはよく公権力の監視機能であると言われ、その対象は政治家や官僚、公務員や私たちの生活に直結するような大手企業のトップも広い意味で「公人」だと私は考える。それならお笑い芸人はどうなのか。子どもから高齢者まで、テレビを通して楽しませる職業であり、子どもの憧れでもあり、ある意味では尊敬できる「公職」といって言い過ぎではない。今回の脱税は、単に一芸能人の問題では済まされない。芸能人たちに少しでも、「私たちは特別な存在」という甘えがあるとしたら、まずはベテランや中堅世代から襟を正す必要がある。

24 電車の「お客様対応」で気になる駅員の「対応」

昨今、特に首都圏の電車では「人身事故」や「安全確認」などの理由で、遅延がよく発生している。中には電車の中で乗客の体調が悪くなり、「急病人対応」とアナウンスされているケースもある。この中でも「お客様対応」のケースでは乗客からの駅員へのクレームや乗客同士のトラブル（口論やけんかなど）が増えているようだ。こうした際、駅員の対応の手際よさの有無が極めて重要になると考えられる。昨今は乗客の命に関わる凶悪事件も電車内で発生しているだけに、鉄道会社も駅員の研修を徹底するなど、検討の余地があるのではないか。

以前、私は都内の新宿駅から、ある私鉄に午後8時過ぎに乗車し、出発直後に同じ車両で乗客同士のトラブル（口論のレベル）を目の当たりにした。比較的高齢で杖を持って優先席に座っていた女性が突然立ち上がり、目の前でスマートフォンの動画をみていた男性に「電源を切りなさい」と注意を始めた。その後5分程度にわたり、やりとりがあったが、まったく男性は電源を切ることはなく、口論が続いた。そして私は降車する駅に着いたので、降車直後、駅員に「5号車の優先席付近で乗客同士が口論していますよ」と報告した。そうしたら、その駅員はすでに別の乗客の対応をしていた。相手の乗客は男性で、もともとホーム上で他の乗客とトラブルになっていた様子だった。話の内容からやはりスマートフォンを使用する、しない、いわゆる「ながらスマホ」をめぐるトラブルだったと推察できた。そこで問題なのがこの駅員の対応だ。もともと対応していた後者の男性の話を聞きながら、別の駅員を無線で呼んだ。しかし、私の訴えには全く耳を貸そうとせず、無視していた。そして、駆けつけた別の駅員2人が、車内でトラブルが起きている最中の電車を何も対応せずに発車させてしまったのである。このとき私は、とにかく時間に遅れないように電車を運行させることしか考えていないのだろうかと駅員に不信感を覚えた。トラブルが起きているのは事実なので、改札の窓口にいた別の駅員に事情を伝えると、「(トラブルは) 2件起きているのですね」とやっと理解してくれた。私の乗車していたのは特急電車だったので、その段階で相当先の駅まで進行していたものと推察できた。その後、車内のトラブルはどうなったかはわからない。しかし、駅員が応援の駅員を呼ぶにしても、状況を即座に正確に説明できない、コミュニケーション力不足も存在するのではないかと感じている。命を預かるのが鉄道会社だ。優先すべきは乗客なのか、遅延を起こさない運行なのか、再考する必要があるのではないか。

25 新型出生前診断の「ビジネス化」に疑問

妊婦の血液から胎児のダウン症など染色体の異常を調べる新型出生前診断が、認定外の民間クリニックでも行われ、不確実な結果に基づく中絶につながる恐れがあることが2019年8月の報道でわかった。当時の記事によると、まれな染色体異常など日本産科婦人科学会(日産婦)の指針外の検査まで広がっていて、検査後の妊婦ケアが不十分なところもあるらしい。単にビジネスを目的に実施している医療機関も少なくないとみられ、誰のための科学の進歩なのかを改めて問い直す必要がありそうだ。

記事によると、新型出生前診断は、妊婦の血液に含まれる胎児のDNAを元にダウン症など染色体の異常を推定できる検査だ。国内では日産婦がカウンセリング態勢などの指針を定め、日本医学会が施設を認定しており、2019年8月現在で国内に92か所だという。私の知る限り、大学病院などが中心とみられる。2013年から2018年9月までに、認定施設で約6万5000件が実施されたそうだ。この検査は実施に踏み切るまでに賛否両論あった。科学の進歩はぜひ推奨したいものの、中絶など「命の選別」につながることとなり、命の尊厳にも関連する話だ。正式な検査では、胎児の染色体異常を確定するまでには、腹部に針を刺す羊水検査などがさらに必要となる。中絶するかしないかは、夫婦間で決める問題であり、どちらが「正しい」というものでは決してない。経済面など個人的な事情から障がいをもつ子どもは育てられないという人がいても、そのこと自体は、良いか悪いか「模範解答」はない。一方、障がいをもつ人については、障がいを「個性」の一つとみなして、育てている人も少なくなく、「事前にわかった方が心づもりや覚悟ができるので、検査結果を知りたい」と言う人もいるようだ。しかし、認定外施設によっては、検査結果を郵送やメールで通知し、カウンセリングは希望があるだけ応じるところも少なくない。説明を十分に受けられずに混乱した妊婦が、認定施設に相談する例が複数あるそうだ。

現在の医学ではインフォームドコンセント（説明と同意）がとても重要になっており、新型出生前診断の現場だからこそ、医師による詳細な説明はもちろん、妊婦と夫も含めたカップルの側も、きちんと内容を理解し、納得できることが重要だ。営利目的を第一に考えてこの検査を実施している機関があるとしたら、国内での検査解禁から6年経過した現在、本来の目的とは違った方向に進み始めていることを、まず、医療従事者は認識する必要があるだろう。

26 地球温暖化を改めて考える

2019年11月、米国が温暖化対策の国際ルールである「パリ協定」からの脱退を国連に通告した。それまでにも気候変動の枠組みをめぐる国際会議においては、米国や中国などの大国が会議の席につくかどうか、政治的な駆け引きが行われてきていた。しかし、日本において、ここ数年、豪雨や超大型台風による大規模な自然災害が発生しており、これらの現象と地球温暖化はつながっていると推察できる。もともと温暖だった日本の気候はもはや熱帯地域のような状態で、ここのところ春と秋の時期が短くなっている。日本だからこそ、現代の世界政治の舞台に立ち、積極的に地球温暖化を食い止める姿勢を各国に見せる必要がある。

当時の報道によると、パリ協定が目指しているのは、産業革命以前からの気温上昇を2度未満や1.5度未満に抑えることで、各国が温室効果ガスを減らす対策の強化が欠かせない、としている。米国のように世界第2位の排出国の脱退は、対策の強化に反対する勢力を説得する際に障壁になりかねないともされた。また、当時の日本政府側も「非常に残念」としつつ、毎年年末に開かれている気候変動枠組み条約締約国会議（COP）の場などにおいて、対話継続の余地があると楽観視している面もあった。

この問題の報道の続報では、米国の国務長官は「（パリ協定が）米国の労働者、ビジネス、納税者に不公平な経済的重荷を課している」と脱退理由を述べたそうだが、もはや自国の経済だけを守る時代ではないことを、各国の政治家は自覚すべきだ。実際、日本はレジ袋を廃止するなど、環境問題へ取り組むため、ある程度の配慮はやむを得ないという感覚が国民の間に広がりつつある。スーパーに自前の買い物バックを持参する光景も見られるのが当たり前になった。これは、島国で生活している日本人だからこそ、海面上昇などの環境問題を実感できるのだろう。米国や中国の大国は、大気汚染などをそのままにしながら、経済発展のみを追求しているかのような印象をもつ。大気に「国境」はない。大国が足並みを揃えないと、将来、結局は自分たちに対する健康被害という形で悪影響を及ぼしかねない。大国が環境問題を真剣に考え始めるころには、小国や小さな島々に悪影響を及ぼし、もはや取り返しがつかない状況になっていることが考えられ、とくに米国および中国の環境問題に対する姿勢は注目に値する。

27 語彙力がない若手社員への対処法はあるのか

語彙力、つまりボキャブラリーがない、コミュニケーション力がない若者を抱えた職場では、人間関係のトラブルが多い傾向にあるようだ。これはおおよそ、就職氷河期と呼ばれ、２０１９年ごろまでフリーランスで働いていたような40歳前後ごろまでの社員に多い傾向のようだ。彼らの世代は、いわゆる働き方改革が進んでいる時代に「大人」になっており、残業をしなかったり、きつく叱責するとすぐに「ハラスメントだ」、「ブラック企業だ」と訴えたりする者が少なくない。もちろん、本当に上司や先輩から後輩に対しての暴力などは論外だ。しかし、若者の側も20代までに正社員になれず、きちんと社員教育、つまり、電話のかけ方など、社会人としての基礎力や礼儀を身に着けていないケースで、そのまま現在までズルズルとやってきてしまった若者が多いのではないか、というのが私の分析だ。

まず、ハラスメントは本当に厚生労働省などが示している条件に合う悪質なものは除くが、そのような事柄には全く当てはまらないのに「セクハラ」とか「パワハラ」と騒ぎ立てる若者も決して少なくない。これは社会人としての経験不足、コミュニケーション力不足に加え、語彙力、つまりはボキャブラリーが少ないことが原因として挙げられる。つまり、「自分に都合の悪いこと」や「自分がやりたくないこと」「面倒臭いと思うこと」をやらせる上司や先輩の行為はすべて「ハラスメント」と表現する若者が見受けられることがわかってきた。

この「一因」は、現在のスマホ依存社会にある、と私は考える。好きな動画やゲームだけを見て、自分には興味がない政治や経済、社会、科学や国内外の文化などの話題には見向きもしようとしない。子どもの頃から本や新聞を読んだ経験も極めて乏しいのが原因ではないかと思う。中には「自分の家庭は経済的に恵まれていなかったから、書籍や新聞を読む機会がなかった」などと発言する者もいる。しかし、公共図書館などを利用すれば、書籍を借りたり過去の新聞を閲覧したりすることは可能だ。そうした行為そのものの経験の有無の差が激しく、親の世代の育て方にも問題があったのではないかと感じる。

管理職世代はこうした事実を踏まえて若者に接するとよいだろう。

28 裁判員制度の意義はあるのか

北関東で2015年、6人を殺害したとして、強盗殺人などの罪に問われたペルー国籍の被告の控訴審判決は、死刑とした1審さいたま地裁の裁判員裁判判決を破棄し、無期懲役としたことが、2019年12月5日付のネットニュースで報じられた。記事によると、裁判員が悩みぬいた末に導き出した死刑判決がまた破棄された結果となり、その時点で裁判員制度導入後6件目だった。確かに、この事件については、刑事責任能力をめぐり判断が分かれており、動機や残虐性、殺害被害者数といった最高裁が示す死刑適用の基準が主な争点となった過去の5件とは違いがあるようだ。しかし、それならば、裁判員制度の意義は何なのか、疑問に思わざるを得ない。果たして、裁判員制度は必要なのか。

裁判員制度が2009年に始まり10年以上が過ぎた。裁判員制度導入の目的は、国民の司法参加であり、一般の人々にも裁判に興味をもち、実際に判決言い渡しまで関わることが目的だったはずだ。

しかし、制度導入直後から問題が噴出した。原則は辞退ができないばかりか、有罪か無罪かだけでなく、量刑（懲役何年かなど）まで決め、「評議」の内容は明らかにしてはならないなど、裁判員には制約が課せられ、開始当初から負担になっていた。裁判員制度導入後は、できるだけ争点や論点を明確にし、「わかりやすい論証」が検察側や弁護側にも求められるようになり、一定の改革は実現しているようだ。

裁判員制度導入までには、制度の啓発目的で、各地で模擬裁判が公開された。私も都内の大学で開催されたシンポジウムに参加し、模擬裁判を傍聴した。本職の裁判官も参加し、実際の参加者は模擬の「評議」を行い、評議や判決内容に対して、最後に本職の裁判官が解説する、という流れだった。しかし、「どうしてそんなに急いで（制度を）始めるのか」という疑問が私にはつきまとっていた。制度導入には、もう少しじっくり想定される弊害などを検討する時間が必要だったと感じている。しかも、せっかく時間と手間暇を費やして出した裁判員裁判の結果が高裁で覆るのならば、最初からプロの法曹関係者だけで行えばよいのではないか。仕事を休んでまで、時間を費やしたあげく、判決が覆るやり方は、私には納得がいかない。国民の生活や仕事は、夕方で仕事を終える人ばかりではない。記事によると２０１２年には明らかに不合理でない限り、１審の裁判員裁判の判断を尊重すべきだ、との最高裁の判断も出ている。一般から選ばれる裁判員が決して暇な人ばかりではないことを、法曹関係者は忘れないでほしいものだ。

29 認知症患者の「身体拘束」を考える

本書の読者の皆さんの中には、高齢の親や親せきが認知症かその兆候を抱えている、という状況の中で介護や看病の生活をしている人も少なくないはずだ。認知症の「予備軍」まで含めると数百万人にのぼるとの報道が２０２０年現在でもなされていた。認知症の薬は、まだ完全に「治す」段階ではなく、「進行を遅らせる」レベルにとどまっており、特効薬が早く開発されることを願うばかりだ。しかし、現実社会では認知症患者の取り扱いをめぐり、問題が顕在化している。認知症の患者を病院などで「拘束」してもよいのか否か、議論が割れている現状がある。今回は、ＮＨＫのＨＰで、２０１８年1月24日付けの「認知症で縛られる!? なぜ身体拘束が急増しているのか」をもとに話を進めてみたい。

同ＨＰによると、精神科病院での身体拘束は、制限の程度が強く、二次的な障害を生む可能性があるとして、法律で一定の要件が課せられているようだ。「自殺や自傷行為が切迫している」とか、「多動・不穏が顕著であること」、そして「精神障害のために、そのまま放置すれば患者の生命まで危険が及ぶ場合」の3点で、医師がこのいずれかの状態にあると認め、代替手段がない場合に限り、身体拘束が行われるそうだ。精神科病院の現場では身体拘束が毎年増えているのが現状のようである。

こうした動きに対して、一部のジャーナリストなどを中心に人権侵害などを訴え、身体拘束に反対の意見を述べている動きがみられる。中には、国や地域によっては「精神病院」そのものを減らす動きもある、などといった論調を張っている人も少なくない。

しかし、私は「できる限り行動は自由にすることが基本だが、場合によっては身体拘束も必要だ」という意見だ。認知症患者が別の内臓疾患にかかり、身体拘束を受けている現場を何度も見たことがある。例えば、もともと認知症があり、内臓の手術を受けた直後は、認知症の薬などは飲めない。そのため認知症の症状がもろに出ていることがある。そうした場合、点滴をしている注射針を、また、鼻から胃に管を入れている場合も自分で無理やり外そうとしたりするケースが少なくない。医療知識がない患者が無理やり注射針を取って新たな怪我をしたり、内臓に傷をつけたりしたら、二次的な病変を発症することになりかねない。一律に「身体拘束は人権軽視だ」などとは言えない現実があることを、医療従事者と患者、その家族らが情報交換・共有しながら、よりよい方策がないかを考えていく必要があるのではないだろうか。

30 受験生を抱える保護者の皆さんへ

入試を直近に控えた受験生がいるご家庭の保護者の皆さんは、わが子の進路が決まるまでは、心配でたまらない毎日ではないかと推察する。私は大学や予備校で教鞭をとっており、受験シーズンになると受験生はもとより、保護者の方々も緊張しきっている時期であることはよくわかっているつもりだ。受験生の姿を見ながら、自分が昔、受験生だったころの出来事を思い出すこともしばしばある。

私が勤務する予備校では、事務局のスタッフが事実上の受験生の「担任」として面倒をみて、講師は教科指導に専念できており、直接保護者の方々と接触する機会はほとんどない。しかし、間接的ながらも、外部からの問い合わせや授業に対する要望などはよく耳にすることがある。最近、ある予備校スタッフが「〇〇君のお母様から電話があり、『これまでの予備校の授業はすべて無駄だった、行かなければよかった』と口にしているが、予備校で何かあったのかと心配しておられますが、何かお心当たりはないでしょうか」というメールを送って来た。私は、予備校では小論文や面接対策を行っている。その受験生は関東地方にある「そこそこ」の進学校の高校3年生で、別の予備校で主要科目を受講してきていたようだ。私が勤務する、小論文や面接対策にも力を入れている予備校に、受験シーズンが始まった12月になってから掛け持ち受講してきたのだ。

私は、すぐに「この受験生は焦って、不安がたまっているのだろう」と感じた。志望校は偏差値の上位大学を狙っているものの、あまり準備が整っていない印象があった。今風に表現すれば「逆切れ」状態、つまり「かんしゃく」を起こしているのだ。この高校生は1月下旬以降に始まる一般入試一筋で、現役生向けの秋口の推薦入試は受験しなかった。ちょうど母親から電話が入ったのが、年明けの3学期が始まってまもなくだった。たぶん、高校のクラスの中には推薦入試ですでに現役合格が決まった生徒と、これから一般入試を狙い、浪人の可能性もゼロではない生徒とが混在している状態なのだと想定できた。学校の教師もクラスが落ち着かなくなり大変かもしれないが、こういう時こそ、各家庭の保護者がじっくり腰を据えて、家庭を安心できる空間にし、受験生のわが子が落ちついて試験に臨める雰囲気を作ってあげてほしいと思う。ある心理学の専門家が「親のイライラは子どもに伝染する」といった趣旨の発言をしていたことがある。家庭の空間ほど受験結果に直結すると感じている。親子で人生を左右する期間を乗り越えてほしいものだ。

31 スマホ依存社会を考える

スマートフォンを片手になかなか前に進もうとしない人が多い首都圏の駅などでは、人身事故が後を絶たない。もちろんすべての事故をスマホのせいにするわけではない。しかし、私はスマホに依存しすぎる社会には否定的な立場だ。

確かに、スーパーのレジなどでの支払い時に小銭を用意するよりは一度タッチするだけで支払い処理が終わるので、スマホは便利かもしれない。後ろに並んでいる人の待ち時間も減るだろう。しかし、科学が「万能」であるかのような思い込みもまた、人間の成長にとって危険ではないか。私が講師をしているある大学では、スマホを使った出欠確認を行っている。学生は予め履修している科目の番号を入力しておき、当日になり、担当教員が一桁の暗証番号を皆に告知した直後、学生たちは一斉に入力する。その後、出欠リストがコンピューター上でき上がり、教員だけが閲覧できるページで、暗証番号が違う学生はもちろん、当初出欠をとった時間からだいぶ遅れて入力している学生が確認できるというシステムだ。

当の大学側は「これぞ科学の進歩」とばかりに誇らしげに利用を推進している。しかし、私は先日、教務担当の職員に「この大学の出欠確認システムには限界がある」とクレームを告げた。少人数のクラスで、明らかに欠席していた学生が当日、「出席」扱いになっていたのを見つけたのだ。もちろん暗証番号も一致していた。そこで、記録の修正権限がある私は、即座にその学生の「出席」記録を「欠席」と直した。もちろん、私がいつ、修正をかけたかという記録もコンピューターに記載される仕組みだ。それを機に、これまですべての授業の出欠登録状況を調べたところ、明らかに欠席であることが想定されるのに「出席」になっている者が何人もみつかり、次々と私自身が「欠席」扱いに修正をかけていった。中にはメールその他の手段で、暗証番号をその場（教室）にいない友人に即座に教えている学生もいると思われる。登録の記録をみると、そうした学生の記録も実際に教室にいた学生と1分未満の差で登録ができているので、一見したところでは、「不正」には見えない。しかし、アナログ派を自認する私は、授業後の提出物の有無などとコンピューターの出欠登録を照合するなどして、現代版の「代返」を調べてみた。

私が問題にしたいのは、デジタル版の「代返」などの不正行為ではない。そこまでして、姑息な生活をしなければならない、現代の若者の性格を残念に思う。私も学生時代、同じ授業について、1度や2度程度なら「さぼった」経験がある。さぼる理由があるなら、堂々と「欠席」すればよいのである。スマホ依存社会は人間を疲れさせるばかりか、低いレベルの人間形成を助長してしまうのではないかと、痛感している。

32 医学部予備校で考える獣医師の社会的役割

医学部予備校でも教鞭をとる私にとって残念なのは、浪人生を中心とした医学部の一般試験が国公私立とも難関で、30倍や40倍は当たり前で、新年度も「浪人」を余儀なくされる若者も少なくないことだ。そのような中で医学部予備校でも歯科医師や獣医師になる目的をもって来校する受験生が少なからずいる。医学部以外の医療系の学部を志望する受験生には2種類ある。一つは、これ以上浪人できない、といった家庭の経済的な事情や年齢超過の問題で、医学部から志望学部の変更を余儀なくされる人、もう一つは、最初から獣医や歯科医師、看護師などをめざす目標を持った人たちだ。正確な統計は不明だが、両者ともおおよそ半分ずつ位か、医学部予備校を前提に考えると、前者が若干多い印象がある。

最近、獣医学部を第一志望とする学生が私の授業を受けた。私の担当は取材記者時代の経験もあり、小論文や面接対策で、医学部など医療系学部では2次試験で必ず課されている。おおよそ半世紀ほど前と違い、単に「頭が良い」だけでは医師などは務まらず、人間性も重視されるため、小論文や面接で人柄が試されているようだ。

その獣医志望の受験生にはぜひ合格を勝ち取ってほしいものだが、獣医も現代社会では重要な任務を担っている。昨今、流行していて、現時点においてもその発症のメカニズムが正確にわかっていない新型コロナウイルスも、発症当初は鳥インフルエンザのように動物から人へ感染し、さらに「ヒト

↓ヒト」感染が疑われた時期があった。そうした際に、獣医師と人間を担当する医師との情報交換が大切になってくる。

あるいは、例えば、昨今はペットブームのため、住宅街に近い動物病院（クリニック）においても、イヌやネコの哺乳類から爬虫類にいたるまで、あらゆるペットが持ち込まれるそうだ。しかし、以前なら「野良猫」と呼ばれ、たくさん増え続け、外で暮らしていたネコたちが、昨今では地域のボランティアにより去勢・不妊手術などを受け、定期的に餌付けをされて人間が育てている「地域ネコ」という飼い方が、自治体によっては推進されているようだ。一方では、保健所により殺処分される「元ペット」も少なくないのも事実だ。住民である私たち自身がまずは方向性を検討すべきだが、地域の一員として、例えば「地域ネコ」などと共生していくためにはどうしたらよいか、獣医師もどんどん地域住民と交流を重ねてもらい、彼らの専門的な知識も大いに活用できる社会になることを願っている。

33 新型コロナ問題、学校休校の混乱を考える

新型コロナウイルスによる肺炎の日本全国における感染拡大を受け、発生当初の2020年2月の衆院予算委員会で当時の首相は「(感染を収束できるかの瀬戸際である) 1、2週間という極めて切迫した時間的制約の中で、最後は政治が全責任をもって判断すべきものと考え、今回の決断を行った」

と述べたことが報じられた。首相が全責任をもって全国の小中高校を3月初旬から春休みまで臨時休校とした決断は、当時としては私は正しいと思った。しかし、こうした行動自粛の広がりは、必ずしも政府だけに責任を押し付けることはできず、実際、日本経済の落ち込みにつながることも考えなければならない。

別の報道では首相のこの決断を受けて「共働き家庭は小さい子どもを一人で自宅に残すのが心配だ」とか「子どもの面倒を見るために有給休暇を取る必要がある」など子どもをもつ保護者の不安の声を伝えた。しかし、事態は人の健康や命に関わる問題だ。企業も積極的に有給休暇とは別に特別休暇措置をとるなど、政府とともに経済界にまで思い切った決断が迫られている、一国の危機に発展したといってよいだろう。

自宅でインターネットなどを通じての仕事を推奨し、リモートワークという言葉も日常的に使われるようになた。実質的な自宅待機状態を迫られている働き手も少なくない。しかし、世の中にある仕事の中には自宅でパソコンを見ていれば事足りる仕事ばかりではなく、むしろ人がたくさん集まる「現場」に出たり、取引先と面会して営業をしたりしてこそ仕事が成立する職業の方が多いのではないだろうか。こうした業務に影響がでるとしたら、今後の日本経済の落ち込みは相当ひどくなるものと予測される。

問題は学校だけではない。政府の方針で昨今は小学生から英語を学ぶ必要が出ており、英会話教室やその他の習い事など、「教室」に通う必要があるのは、他にもいくつもある。子どもたちのスポーツ交流など、外出を伴うレクリエーションも考えられる。観光業界や交通関連、教育関連、娯楽・イベント関連をはじめ、あらゆる産業に影響を及ぼしかねないという覚悟が必要だ。首相の学校休校宣言を受けて、翌日には各地で授業実施を決断する逆の動きがでるなど、全国一律というわけにはいかなかった。少し前までなら大型地震や津波、原発などの防災対策が必要とされてきたが、超大型台風などの地球温暖化を背景とした自然災害や、今回のような新型感染症の拡大など、政府や経済界が考えなければならない、人の命に関わるリスク管理対策が増えたのは事実だろう。

34 トイレットペーパー不足、業者は社会貢献を

２０２０年初頭から始まった、新型コロナウイルスの日本全国における感染拡大を受け、政府も学校を休校にするなど、目に見える形で対策に乗り出している。しかし、今、大切なことは、医学者においては「新型」やそれに伴う「変異株」の原因究明と特効薬の開発が急務であると意識することだ。そして、一般国民の生活をできる限り正常化させることだ。その第一に、コロナウイルス発生当初に各地で社会現象となった「トイレットペーパー不足」が挙げられる。

私が子どものころ、オイルショックによるトイレットペーパー不足を経験し、親が買いだめしている光景を目の当たりにした。昭和時代の嫌な光景が、現在、スーパーやドラッグストアでみられるようになった。コロナウイルス発生当初、私の自宅近くの有名ドラッグストアでは朝の開店時刻前に店

頭に列ができ、夫婦が協力してトイレットペーパーや生理用品などを購入している光景が毎日みられた。夫婦同士がそれぞれ別の店に並び、スマートフォンで「○○店でトイレットペーパー1袋手に入ったよ」と連絡を取り合う様子は異様としか言いようがなかった。子どもや高齢者など人数が多い家庭ほど大変だった。トイレットペーパーは消耗品で、いずれはなくなる。毎日のようにトイレットペーパーを買いだめしておかなければならない、といった「ノルマ」のような心理状態が拍車をかけて、ドラッグストアをめぐる悪循環が起きたのだった。

当時の報道では、経済産業省は通常の2倍の量のトイレットペーパーを店頭に届けるようメーカーや卸業者に依頼したとのことだった。しかし、記事によると、全国で消費される約3週間分の在庫が工場にあるものの、配送が追い付かず、店頭での品薄を解消できない状況だったそうだ。

こうした社会現象は、自然災害などが起きやすくなった昨今の日本に再度、発生する恐れがある。こうしたときこそ、業者や個人、それぞれの立場で責任を果たすことが求められる。メーカーはとにかく配送業者と協力し、消費者が平日の朝から店頭に並ばなくても購入できる状態に早く戻す努力が必要だ。その際、今回ばかりは、社会貢献のつもりで、「働き方改革」は後回しで、工場のフル稼働や残業、臨時の配送作業も当然必要と言える。まずはメーカー、卸業者、配送業者、販売業者が一体となって、消費者の不安感を取り除くべきだと思う。その解決策は、多くの品物の在庫がある光景を地元の人にみてもらうことである。実際、コンビニエンスストアなどでは意識的に窓ガラスごしにトイレットペーパーなどを置いて、「在庫は十分である」ことを地域の目に留まるようにしていた。

個人レベルでもネットオークションなどで高額な利益を出そうなどと考えないことが重要だ。別の報道ではあるコンビニの店舗で極めて高額でトイレットペーパーを販売していたという情報もあった。東日本大震災の際、冷静に対応していた日本人の姿が海外から賞賛された。自然災害が多発するようになったこれからの日本においてこそ、関連業者や個人の区別なく社会的責任を果たす、つまりは危機的なときこそ、冷静に行動することが肝要と考える。

35 企業社会にも通じる、ある中学の問題

昨今は「活字離れ」と言われ、新聞や本を読まない若者が少なくない。公立の中学や高校によっては、図書館司書が推薦図書を書き出して、生徒らに「図書だより」を配布している学校が少なくなく、インターネットなどで公表している学校もあるようだ。例えば、夏休み前なら「夏休み中に読んでおきたい小説」とか「文章がうまくなるための1冊」など、司書がテーマを決めて本のエッセンスを書き出して特集を組む印刷物だ。

２０１９年、都内のある公立中学で、図書館司書がこうした「図書だより」を発行したことが波紋を呼んだ。内容は「こわい本特集」と題して、ミステリー作品など8冊を選び、手書きで作られていた。ここで2点、問題が発覚した。終戦時の原爆の悲惨さを扱ったある有名な小説が取りあげられ、「やはり事実は恐ろしい」とコメントが書かれ、他のミステリー作品などとともに紹介された。しか

も終戦の年代を「1985年」と明らかなミスをしたまま印刷し、配布されたというのだ。

「その後」にも問題があった。校外の関係者などから図書だよりの問題を指摘するクレームが学校に寄せられたところ、対応に出た学校幹部が「生徒が書いたものなので、間違いには気づいていたが、直してはかわいそうだと考えた」などといった主旨の弁解をし、さらに、問題が「炎上」したそうだ。そもそもこの図書だよりは、教育現場で戦争や原爆の悲惨さを正確に伝えるべき小説を、軽いタッチで紹介されている印象がある。戦争を実際に経験した人やその遺族らの心境を考えると、この司書や学校の対応は極めて「お粗末」としか言いようがない。

実は、この問題が発覚した当時、校長など管理職に就きたがる教師が極めて少なく、東京都の校長試験の倍率は1倍をやっと上回る程度というデータがあった。学校内外からのクレーム対応などの窓口になりたくない、責任をとりたくない、といった管理職候補世代が増えているらしい。

こうした風潮は企業社会にも通じる。私がかつて所属した新聞社でも、所属長の中には部下が何か問題を起こして責任を取らせられないかと、常にビクビクしている人物が実在した。懲戒免職まではいかなくても、口頭注意やけん責処分でも自分の「ポイント」が減点になることを恐れているのが、その態度から如実に表れていた。大人の責任を生徒に押し付けた学校幹部も問題だが、企業社会においても、自分の出世と「その場限り」の保身ばかり考えている管理職の存在は、他人事ではないのではないだろうか。

36 外出自粛の中、会合開いた医師らに唖然

2020年に新型コロナウイルス問題が深刻になり、政府から緊急事態宣言が都市部を中心に出された。いつ宣言が出されてもおかしくないという状況はその年の3月下旬ごろから誰もが感じ取っていた。そうした中でも新型コロナの疑いがある患者に向き合い、奮闘してきている医師や看護師をはじめとする医療従事者には、心より敬意を表したい。自分たちも患者からウイルスをいつうつされてもおかしくないといった危険と隣り合わせで働いている姿を想像するだけでも、頭が下がる思いだ。もちろん企業の営業など外に出ないと仕事にならない、出社のため混雑の中を通勤しなければならない人々は、医療従事者だけでないことはわかる。しかし、新型コロナを治す特効薬がみつからない中での、医療従事者の孤軍奮闘ぶりは想像を絶するものではないか。

しかし、そうした中で、複数の有名大学の医学部関係者が、懇親会など2桁の人々が集う飲食を伴う会合を開いていたという当時の報道には唖然とした。同じ大学でも、新型コロナの患者を治療している医療従事者もいるはずで、気が緩んだ医師らは全体からみれば少数かもしれず、あえて大学名は伏せておくが、医学部の中でも比較的偏差値が高い有名大学が名前を連ねていたことは残念だ。私は、そういった不謹慎極まりない医療従事者を輩出する大学病院には、今後、コロナが収束した後も、かからない方がよいのではないかと、強く主張したい。

それには理由がある。第一に疑問に思うのが、複数の大学医学部のように2桁レベルの人数が会合

を開く際、「今回は延期か中止にしませんか」と声を上げる人が一人もいなかったのだろうか、ということだ。もしそうだとしたら、その大学医学部は、個人の主張がしづらい環境、つまりは医療従事者同士の「風通し」が悪い組織だと言える。よく大学医学部や病院のHPをみると、「チーム医療を実践する」といった趣旨の文言が書かれ、チームで結束して治療に専念する意思表示が強調されている。しかし、チーム医療というのは単に「引き継ぎ」や「申し送り」を頻繁に行うことではない。仮に主任教授の言うことや、治療法に疑念が生じれば「ちょっと待って」と後輩医師が言えなければ、本当のチーム医療ではない。飲み会レベルで、風通しが悪く、発言すら許されない大学病院など、チーム医療の徹底はまず無理ではないか。そのような医療環境で結局、医療ミスなどを被るのは、患者やその家族だ。受験勉強ばかりが得意で社会常識がない、などと言い逃れはできない出来事で、大学全体として、反省すべきだ。

37 新型コロナ、補償期待する前に知恵絞れ

新型コロナウイルスの蔓延で、全国に外出自粛や飲食店の休業などの動きがたびたび出てきている。報道によると、携帯電話などの位置情報からのデータを分析すると、自粛期間中になると、東京であれば渋谷や新宿、銀座などといった繁華街は人手が減っているものの、逆に平日昼間は静かな住宅街での人の密集が発生しているとのことだ。私も都内の住宅街に住んでいるが、少子化で子どもの

遊ぶ姿が見られなかった児童公園などでも、保護者と一緒にはしゃぎまわる光景が見られるようになった。こうした動きをみると、他国のように政府が都市封鎖を行ったり、住民が怒りを爆発させて暴動寸前の状態になったりすることは、温厚とされている日本人には、ひとまず関係ないだろう。

しかし、一部の報道の中で、医療の専門家によると、本書執筆時点では、まだ特効薬はみつかっておらず、中長期的にコロナと「付き合っていく」覚悟も必要なのかもしれないとのことだ。そうした中で、休業を余儀なくされている業種も少なくなく、政府など行政による金銭面での支援や保障はどうなるのか、という議論がたびたび出てきている。与党内での議論の末、収入にかかわらず、一律1人、10万円の支給ということで落ち着いたこともあった。もちろん、10万円程度ではすぐに使い果たしてしまうことは目に見えている。そうなると国民の間から「政府は何をやっているのか」といった不満の声も出てくる、というような悪循環になってしまう。

確かに、政府はコロナ蔓延以来、はっきりいって「見えない敵」と戦う運命を背負わされることになった。危機管理の面でも、コロナが流行する直前までは、大地震がいつ起きてもおかしくない、という大地震を前提とした災害対策が中心だったが、２０１９年秋の超大型台風による東日本の被害をはじめ、２０２０年以降の新型コロナの蔓延など、これまでとは違った危機管理が政府や各自治体、民間企業に求められている。もちろんどこに所属していても、国民一人ひとりの意識改革が必要だ。

例えば、私の自宅近くの商店街でも、夜間専門に営業していた飲食店が、昼間にテイクアウト用の弁当を売り始めた店もあった。もともとの宅配専門の飲食店は、自粛期間中、むしろ業績が上がっている店舗もあるようだ。異業種の企業が不足しているマスクの生産を始めたという実績もこの間に実現している。私のかかりつけのクリニックの1つは患者が減ったそうだが、考えようによっては、行かなくてもいい「患者」が少なからずいたのかもしれない。テレワークなど本当の意味での「働き方改革」が、私たちの「宿題」として出されているのだ。

38 「コロナ」関連の新薬承認は慎重に

2020年以降、新型コロナウイルスが世界各地で流行し、仮に今後、緊急事態宣言が解除になったとしても、経済の世界的な落ち込みは戦後最悪のシナリオが待っていることを覚悟する必要がある。政府や各自治体は給付金など「カネ」をばらまいて、国民を納得させようとしているようだが、とくに中小企業や個人事業主などは受注や客足が途絶え、会社や店舗の存続が危うい状況が続き、「綱渡り状態」だ。

政治家としてみれば、悪いのは政治や政策ではなく、新型コロナという「病気」である、だからその特効薬を早く見つける必要がある、という理論がまかり通っているようだ。これから全く新しい薬を開発するには時間がかかるので、ひとまずは、すでに別の病気の薬として流通しているものを応用できないか、という認識が広がり、いくつかの薬品名が挙がっているが、なかなか思うようにはいかないようだ。そこで注意しなければならないのは、厚生労働省が新型コロナウイルスの薬として承認する際は、くれぐれも慎重にしてほしいということだ。一時的に症状が改善されても、人によっては副作用を起こしたり、取り返しのつかない薬害に結びついたりすることがあり得ることは、日本だけでも薬害の歴史をみればわかることだ。

日本は、新薬の承認には良くも悪くも時間をかけることで有名だった。別の薬だが、「欧米ではすでに承認されているのに、日本ではまだ未承認だ」などとよく報道され、どうしても使用したい場合は、患者や家族の同意を得て、大学病院などで倫理面での手続きを得た上で、「研究目的」と称して事実上の治療に用いるというケースが少なくなかった。やはり体質や体格の問題もあり、欧米人と日本など東アジアに住む人とは薬の効き目に違いがでる場合が少なくないことも影響しているようだ。

昨今の報道をみると、各都道府県での感染者数の増減を表やグラフを用いて「多い」か「少ない」か、を知らせる姿勢は、そろそろ見直す必要があるのではないだろうか。政府の側もとにかく「終息」あるいは「収束」に向けて、感染者数の数値が減るように願っていることが伝わっている。仮にひとまず緊急事態宣言が解除になっても今後、新型コロナの流行が何度も再燃しないとも限らない。

とにかく封じ込めることだけを目的として、新しい薬、あるいは既存の薬をコロナ患者へ「応用」する際は、きちんと研究データを公表し、まずは「承認」や「認可」ありき、にならないでほしい。コロナの流行を一刻も早く抑え、経済活動を再開する必要があるのはわかる。しかし、患者数を減らすためだけの新薬承認は、逆に人々に悪い影響を与えかねないことも厚生労働省は肝に銘じてほしいものだ。

39 記者とて超えてはならない「第一線」

検察庁など「法治国家としての法の番人」であるはずの捜査の最高機関の人事と政治の癒着が本書執筆時期から社会問題化している。しかし、記者経験者の私としても情けない問題がその裏で隠されていたことを知り、愕然とした。問題となっていた現役の東京高検検事長は結果的に辞表を提出したようだが、その引き金になったのは、検事長と懇意にした記者と「元記者」による賭けマージャンで、辞職した「元」検事長も事実であることを認めた。これはある記者の自宅マンションを訪れる写真とともに賭けマージャンをしていた事実が「週刊文春（２０２０年5月28日号）」によってスクープされたことがきっかけだった。

同誌記事によると、新型コロナウイルスで外出自粛が呼びかけられる最中の２０２０年5月1日と13日、東京都内にある記者のマンションに元検事長が出向き、深夜まで賭けマージャンをしていたそうだ。記事の前文には「午後7時半、記者のマンションに入っていく○○氏（記事の中では実名だった）。その直前、記者はＡＴＭへ。深夜2時、○○氏は記者が用意したハイヤーに乗り込むと帰宅の途についた（後略）」と生々しい状況が描かれていた。私は都内在住だが、私鉄沿線のチェーンの書店では、同誌は発売日には売り切れており、別の駅の売店でやっと購入した。それだけ世間の注目を浴びる出来事であり、国民が厳しい目で見ていることを意味しているのではないだろうか。

確かに、記者は事実確認や捜査の進展具合などを探るため、昔から「夜討ち朝駆け」といって公務時間外に捜査幹部の自宅などに取材に出向くことがある。長期間付き合えばそれだけ親しくなり、会食などをともにすることがある。私も捜査幹部や元幹部らと会食に参加したことがあるのは事実だ。もちろん「割り勘」だった。

しかし、賭けマージャンは賭博であり、刑事事件として摘発されることもある。今回の出来事は、例えて言えば、警察で麻薬犯罪を扱う捜査員と担当記者が違法麻薬を吸っていたのと大差ないのではないか。記者と「元記者」が所属していた新聞社2社は、2020年5月22日付け朝刊1面で「記者2人、数年前から賭けマージャン　本紙調査　おわびします」（自室を提供した記者の所属する新聞）、「本社社員も認める　不適切な行動　おわびします」（「元記者」が所属する新聞）とおわび記事を掲載した。

メディアの不祥事の歴史に残る出来事だ。しかし、私が敢えて言いたいのは、だからといって「捜査幹部などと記者の交流を止めるべきだ」などという単純な理屈にはならないと思う。たった一つの事実の「裏」を取るため、日夜努力するのがジャーナリズムの原点だからだ。とはいえ今回の出来事は、元検事長とともに2新聞社も厳しい批判の対象になって当然と言えるだろう。

40 女子レスラー訃報でSNSの陰湿さを考える

ある若い女子プロレスラーが亡くなったという報道に接した。彼女は「テラスハウス」という男女の恋愛模様を扱った、民放のリアリティを装った番組に出演していた。番組は比較的長く続いており、放映中止が決まったようだが、リアルな生活を前提にしている部分もあり、どこまでが実話で、どこまでが演出なのか線引きが難しい部分があった。私は番組開始の初期のころに見た経験がある。

若者の男女関係の日常を描き、「セリフ」や「動作」も彼ら出演者のありのままを映し出している印象を前面に出していた。時に入居者同士の仲が悪くなったり、恋愛感情が生まれたり、若者の生き方の「側面」を垣間見ることができるような印象があった。もちろん私は「やらせの部分もあるのだろうな」といった程度の感じを持ちながらも結構、ドラマのストーリー展開は楽しみにしていた。

「シェアハウスを去る」などの手法で出演者が年を重ねるに連れて入れ替わり、女子レスラーが亡くなる2020年までに至ったようだ。亡くなった女子プロレスラーの場合は、番組内で人間関係が悪化したり、彼女の対応をみた視聴者がSNS上で誹謗中傷をしたりしていたことが死につながったのではないかと、訃報が流れた当初は憶測がなされていた。

昨今の若者に接していると、自分自身は他人から「褒められたい」という欲求が強いような気がする。その反面、他人から叱責されたり、欠点を指摘されたりするのがとても苦手な印象をもっている。職場でも上司や先輩が叱咤激励しただけでも、立ち直れないくらい落ち込んでしまう人が少なくないのではない。そういう若者は、実名を出して、あるいは違う世代の人と面と向かって会話をするときは、当たり障りのない接し方ができるが、SNSなど「匿名」になったとたん、相手の立場など考えず、「ボロクソ」に見下し、誹謗中傷する人が少なくないように感じる。ひと昔前なら「ネトウヨ」と言って、自分とは違う政治的な考え方や思想をもった評論家など、有名人の悪口を匿名で書いている人がいたが、現在では単に政治的な思想の違いだけでは説明しきれないくらい「現代版のネトウヨ」が増殖しているように感じる。

女子レスラーの訃報とは直接結びつけない方がよいかもしれないが、確かに企業のネット上のアンケートなど、匿名で意見を述べる機会が増えている。その一方で、個人情報の保護も大切な考え方になってきている。しかし、自分の意見を述べることは基本的には実名で、正々堂々と述べる環境で生活できてこそ、健全な社会と言えるのではないだろうか。

41 コロナ蔓延当初の選抜高校野球交流試合を考える

２０２０年春のセンバツ高校野球大会が、コロナウイルス蔓延のため中止になった。その代替措置として同年夏、「春」に出場予定だった32校を全国から甲子園に集めて交流試合を行うことが決定した。この件については。ある報道では「それなら夏の大会もできたのではないか」などと疑問を投げかけ、高校野球連盟の幹部が、コロナウイルスが全国的に蔓延している時期での夏の大会中止決定は問題なかった、といった趣旨の発言をした。

私は、高校野球をいわばスポーツの「聖域」のように扱うのはもう止めた方がよいと思う。高校野球というのは１９６０年から70年ごろまでの高度経済成長時代を支えた一大イベントであり、とくに夏の大会は風物詩のようになっていた。それは時代背景が現代と全く違うのだ。１９６４年の東京オリンピックのころ、東海道新幹線が開通した。コロナウイルス蔓延以前なら、東京と大阪に会社員が出張する程度であれば、日帰り出張が普通になった。例えば夜9時半ごろまで新大阪発の東京行きがあり、東京に着いてもＪＲ山手線の最終電車には間に合うほど便利になったからだ。しかし、開通当時は状況が違った。出張するとなれば、会社にとっては一大事で、宿泊は当然だった。

それだけ現代社会では、インターネットなどの普及により、人々の「距離感」が断然縮まったと言えるのではないだろうか。また、社会背景もある。昨今は高卒後の大学進学率は50％半ば程度だ。しかし、当時は「金の卵」という言葉があったように、高卒での就職が当たり前で、中学を卒業後すぐに就職する人も少なくなかった。新幹線が開通しても、若い従業員は給料が安価で、今のようには故郷には簡単に戻れず、また、頼る情報源は新聞が第一だった。そうした経緯もあり、新聞やテレビの高校野球報道をみて、集団就職をしていた人々は、故郷の出場校を内心、応援していたのではないだろうか。

その名残もあり、夏の高校野球は地方予選段階から、地方版という新聞のローカル面は高校野球の話題が9割以上を占める。さらに、甲子園球場での本試合になれば、全国版の運動面でも扱う。それに伴い、新聞社も「高校野球を詳報している」と銘打って、夏の時期に販売拡張を強化してきた歴史がある。果たしてインターネットが生活の一部になり、子どもたちのスポーツへの関心もサッカーやラグビー、バスケット、ゴルフに水泳、卓球、格闘技、スノボーなど、さまざまになり、それぞれの競技で世界レベルの選手を輩出できるようになった。確かに甲子園が近い将来のプロ野球選手の「卵」の見極め、スカウトの場でもあることはわかる。しかし、高校球児だけを特別視するのは、もう時代遅れなのではないだろうか。

42 外国人労働者の存在を改めて認識すべき

義務教育を終えていない人たちを対象にした夜間中学を設置する都道府県が年々増えている。現在の「いわゆる夜間中学」には、中学時代、いじめや不登校などの理由で長期欠席を余儀なくされた日本人や在留外国人が多く在籍している。実際は、地域や学校形態（定時制か単位制か、など）にもよるが、在留外国人の在籍者の方が7割から8割と日本人よりも多い現実がある。まずは日本で生活したり、働いたりするにあたり、中学卒業資格も必要だが、日本語をマスターすることを目的に入学する外国人が多いようだ。「学校」という限り、運動会や修学旅行などの学校行事ももちろんあるのだ。

私は研究の立場で多種多様な「夜間中学」を見学してきたが、日本には法律や政府、とくに文部科学省の方針もあり、これまでは「夜間中学」という名前の夜間単独の中学校はなかった。前述したように「いわゆる夜間中学校」であり、学校の場合は、「公立中学夜間学級（あるいは夜間分校）」として、昼間の「二部授業」という位置づけだったのだ。

一方、市民団体や日本人ボランティアによる外国人のための日本語教室が、「自主夜間中学」とか

「〇〇の会」などの名前をつけて全国各地で活動している。また、日本人生徒の場合、義務教育を受ける学齢期を過ぎた成人も少なくない。冒頭の「義務教育を終えていない人たちを対象にした」という言い方は誤解を与えかねない表現かもしれない。実は義務教育、とくに中学3年の時点では、「留年」する人はほとんどいないのが現状だ。仮に長期欠席で出席日数が足りない生徒で、「オール1」の人でも、実は「校長の裁量」で卒業させてきているのだ。これを「形式卒業者」と言う。

普通に生活していた人は、そういう事情のある生徒の存在を知らずに、卒業式を通過してきた人がほとんどだと思う。だから「終えていない」のではなく、「形式的に卒業したものの、年齢を重ねてからも中学レベルの学習が達成できていないため『学び直し』をしたい人」の受け皿になっている、と表現するのが、現実に近いかもしれない。

そのような日本人の場合は置くとしても、外国人に日本語を学ぶ機会を設けるのは、受け入れ側の責任でもある。実際、日本企業の労働者として働いてもらわなければ、この少子高齢化時代を乗り越えられないからだ。もちろん「(夜間中)学校」だけがその役割を果たせるかどうかは今後の課題ではある。しかし、そのような「学校」が存在することを改めて認識してこそ、現在の「人手不足」とされる日本経済の状況を正しく把握できるのではないだろうか。

43 医師のモラル問われた「ある事件」

ＡＬＳ（筋萎縮性側索硬化症）の女性患者から依頼を受け、薬物を投与し殺害したとして、医師2人が嘱託殺人の疑いで逮捕された。２０２０年7月25日付のある報道によると、そのうち1人の医師がＳＮＳ（交流サイト）で交わしたやりとりを消去するよう、女性に指示していたことが捜査関係者への取材でわかったそうだ。この事件発覚当初から報道されていることは、容疑者の2人の医師は女性の主治医ではなく、ＳＮＳを使って知り合ったというのも、インターネット時代の現代社会の「負」の側面を表した事件だったのではないか。

嘱託、つまり殺害された患者本人から死なせてくれるよう頼まれたのだから、死なせても構わない、ということにはならないだろう。まず私たちが考えるべきことは、日本の法律には安楽死法というのはなく、安楽死は認められていないということだ。だから嘱託殺人罪が適用されたのだ。

１９９１年に発覚し、１９９５年に横浜地裁で判決が出され、確定したある私立大学病院で発生した「安楽死事件」では、「安楽死には相当しない」という主旨の判決で、当時の「元」医師は、殺人罪が確定した。その際、横浜地裁は、安楽死を認める際の4条件を判決の中で示し、その後も事実上の「判例」として引き継がれた。つまり①耐え難い肉体的苦痛がある、②死期が迫っている、③苦痛を除去、緩和する方法が他に見当たらない、④患者の明示した意思表示がある――というものだった。

ＡＬＳは難病で現在のところ特効薬はない。また、今回は本人が死を求める意思表示があったとみられる報道がなされた。ＳＮＳを通じて２容疑者と知り合った経緯が本人の死をめぐる意思表示につながる、との解釈も成り立ったかもしれない。しかし、どのようなケースにおいても医療従事者が忘れてはならないのが、(1) チーム医療と (2) インフォームドコンセント（説明と同意）のはずだ。今回の事件の報道を見る限り、２容疑者は主治医でないばかりか、実際の主治医や自分が所属、または関連する大学病院、学術学会などの複数の医師の意見を求めておらず、単独で判断したことになる。また、同記事でも紹介されているように、事件を受けてＡＬＳ患者らは「死ぬ権利の前に生きる権利に向き合って」と訴えたそうだ。医師らは相談を受けた際、「生きる道」は少しでも残されていないのか、患者の意見に耳を傾け、ともに考える時間をどれだけとったのか、疑わしい点がある。科学が発展しても苦痛を伴う難病とされる病気が全部なくなるわけではない。そうした人が少しでも「生きづらさ」を軽減して生活できる方策を見つけることも、これからの医師の役割だと考える。

44 教員の採用方法、変えてみては

学校教員による生徒や児童に対する性暴力が増加していることが、２０２０年8月21日付け新聞で報じられた。記事によると２０１８年度、わいせつや性的言動で処分された教員は過去最多の２８２人で、被害者の49％が勤務校の児童生徒や卒業生だそうだ。また、わいせつによる処分は増加傾向で、文部科学省は各地の教育委員会に対し、被害者が児童生徒の場合、免職を求めているそうだ。し

かし、3年が経過すれば教員免許は再取得できる上、処分内容は自治体間で共有されていないそうである。ある教員がA県で処分され3年が経過しても、B県にその教員の情報は伝わっていないことが少なくないらしい。記事によると、児童ポルノで逮捕された教員が別の地域で採用され、さらに子どもに被害を加えるケースもあったそうだ。

確かに、自治体間での情報共有がなされないという、制度面での課題もある。しかし、教員を希望する側の「質」にも問題があるのではないだろうか。その原因について、私は最低2つ考えられる。1つ目は、これまで、比較的好景気が続いており、民間企業でも人手不足のため、教員や公務員の人気に「陰り」が出ていたことが挙げられる。教員の資質がないのに教壇に立っていた人も少なくないはずだ。

2つ目の理由として、大学や大学院卒業後、すぐに教壇に立てるシステムにも問題があると思われる。20代前半で社会人としての経験もなく、いきなり教え子から「先生」と呼ばれては、自分の立場を「勘違い」する教員も出てくるのではないだろうか。あるいは知識や経験不足からストレスがたまり、犯罪に走ってしまうのではないかとも推察できる。20代の若い教員が一回り以上年上の保護者に向き合うことができるのかという、素朴な疑問も出てくる。実際、保護者のクレームに対応できず、学期途中で突然退職してしまう若い教員も少なくないそうだ。

1つ目の原因の解決策としては、今後、コロナ不況が関連して、民間企業よりも教員採用試験の倍率が上がり、これまでよりは質の高い人材が確保できる可能性が高いと思われる。2つ目の課題解決には、やはり、教員採用の条件として最低「5年以上」程度の企業や公務員などの社会人経験がないと、教員採用試験の受験資格がない、という制度に変える必要があると思われる。仮に民間企業などで社会人としてうまくいかなかった人でも、社会の現実や厳しさを知っている人なら、「将来の社会人」である子どもを安心して預けることができるはずだ。

45 IT企業全盛期に報道の自由を守るには

豪州政府が米国のグーグルとフェイスブックの両社に対し、ニュース記事の使用料を地元メディアに支払うよう義務付ける方針を打ち出した、というニュースが、2020年8月30日付けの日本経済新聞社説で紹介された。見出しは「信頼できる報道を守りたい」。世界的にフェイクニュースや誤情報があふれ、民主主義が危機に揺れるさなかであり、信頼できるニュースコンテンツをどう守っていくか、日本も考える契機としたい、と主張している。

ここで日本人がよく情報源にしているヤフージャパンのニューストピックス欄を例に挙げたいと思う。私の知る限り、2007年から2008年ごろにかけて、ヤフージャパンのニューストピックスで挙げられるニュースのほとんどは、毎日新聞や時事通信の配信記事だった。昨今、ヤフー独自にフリーライターなどに取材させた特集記事を配信する機会が増えたが、もともとヤフージャパンは報道機関ではない。

新聞社や一部通信社の記事をコンテンツとして購入し、それを「並べ替えて」いるだけなのだ。取材活動というのは莫大な経費がかかる。調査報道など相当の予算を使っても、さまざまな理由から「お蔵入り」する取材結果も少なくない。その取材にかかった経費はすべて無駄とは言わないまでも、経営側にとっては損失といえる。そうした「無駄」な労力をなくすため、ニュースコンテンツは「報道機関から買う」という新たな考えを構築し、「ニュースは報道機関が取材する」という常識を覆すビジネスモデルを作ったのがヤフージャパンであり、ビジネス戦略としては「成功した」と言えるだろう。

「私たちは絶対にヤフーに記事を売らない」との姿勢を崩さなかった朝日や読売がヤフーに「寝返って」しまい、現在ではヤフーに記事のコンテンツを売っていて、ヤフーのニュースを開いたら、朝日や読売の記事だった、という経験は誰しも少なくないはずだ。その後も経済や経営、芸能やスポーツに関わるコンテンツを保有する報道機関やその他情報提供会社が、ヤフーにコンテンツを売るようになった。

日経社説で紹介されている豪州では、メディア側からＩＴ企業側にコンテンツ使用料を要求でき、それが不調に終われば独立仲裁人が判定するという、現在では規制案の状態のようだ。伝統のある新聞社やテレビ局、情報提供会社は、丁寧に出来事や現象、重要人物の発言の「ウラを取る」地道な作業をする「スキル」がある。そうした手間の対価として、相応の手数料をＩＴ企業側に求めることは、理に適った経済活動であると考える。そういった考え方は、何よりも「読者」が正確な情報を得るため、人々の「知る権利」を守るためにもつながるはずだ。

46 ジャニーズの「元メンバー」による「酒気帯び事件」を考える

ジャニーズに所属していたあるアイドルグループの「元メンバー」が道交法違反（酒気帯び運転）で現行犯逮捕され、釈放された事件が話題になった。このメンバー（逮捕時48歳）は以前にも別の問題を起こし、テレビから姿を消していた。「またか」という驚きとともに、メディアは連日大きく取り上げた。よく一部の評論家の中には、「一度逮捕されただけで、メディアはそろって叩きまくる」と、メディアの姿勢を批判的に論じる人がいる。昭和の終わりのころ、ある大物政治家で有名な汚職事件を起こした人の側近だった元秘書が評論家になり、「日本人はドブに落ちた犬を助けようとはしない。棒でつつきますよ」とテレビ番組で論評していたのを覚えている。

同じように、一度や二度の過ちでテレビに出ていた人を「総叩き」にしてよいのか、という意見が出るのも無理はないかもしれない。メディアは権力が不正を犯していないかを監視する役割があり、「もっとほかに目を向ける必要があるのではないか」と別の視点から論じる人もいるくらいだ。しかし、私は、テレビに出ている人は、一般人に比べて社会的な責任があるからこそ、何か問題があった際、メディアが取り上げるべきではないかと思う。

一般の無名な人が酒気帯び運転を犯して逮捕されても、そのたびごとに報道されることはないだろう。しかし、ジャニーズの一員で若いころから長期間にわたりテレビで有名だった人は、男女を問わず一般の人の憧れの対象でもあり、行動には公私ともに責任が伴うはずだ。また、今回は被害者がいないとはいえ、場合によっては人身事故として他人の生命に関わる重大な事件につながっていたことも想定できる。だからこそ、報道する必要があったと私は考える。

日本は、本書を書き始めた2020年現在、実は報道の自由度ランキングが高くない国であるとされている。芸能界をみても、例えば雑誌で不祥事以外のインタビュー記事などを特集する際、取材対象が有名人であるほど「○○の点は触れないでほしい」などと前もって事務所側から注文がついたり、下書き段階で原稿チェックが入ったりする場合がある。

私は取材者の立場であれば断固反対だが、同僚やデスク以上の管理職の中には、同じ事務所に所属する別のタレントの次の取材機会を奪われるよりは原稿を見せておこう、というような「事なかれ主義」が横行し、掲載前にチェックを受ける記者が少なくないのも事実だった。取材相手の名誉棄損的な表現は論外だが、相手が有名・無名にかかわらず、メディアが「悪いことは悪い」ときちんと言える社会になってこそ、本当の意味で言論・表現の自由が貫かれている社会と言えるのではないだろうか。

47 記者出身者に首相補佐官が務まるか

すでに首相は変わっているが、総理大臣就任後、通信社出身の元記者が首相補佐官に任命されたことがあった。テレビのワイドショーなどで比較的与党に対しては批判的な意見を述べていたのを私も聞いたことがあり、首相サイドの要職に就くと聞いて、少し驚くとともに、やはり人間というのは社会的な「肩書」や「地位」には弱いのだろうか、という感想を持った。メディアによっては、記者の立場から首相サイドに厳しい助言を「内部」から行うということも期待されているようだ。しかし、それは不可能に近いだろう。あくまでも首相側に立った政策の立案を行うことを任されるはずであり、「総理、それはやらない方がよいです。国民のためになりません」とは言えないだろう。確かに民間人として首相補佐官の立場に就くのだから、「国民の代表として民意を政策立案に反映させて欲しい」と考える人もいるかもしれない。

しかし、よく考えてみると「国民の代表」は国会議員であり、その監視装置の役割を担っているのは報道機関で、新聞やテレビ、通信社の記者のはずだ。しかし、その「元記者」はすでに通信社を退社し、首相サイドに入ったのだから、首相を補佐する立場として、首相の意に反することなく忠誠を誓うことが求められるはずで、記者に求められる政治的に公平中立の立場を守ることなどは、肩書が変わった時点で無理ではないかと考える。

それなら、彼はもう政府側を批判することはできないのだろうか。そうとは言い切れない。それは首相補佐官を辞めてから、いくらでもチャンスがあるからだ。「あのときはどのような事情があったのか」「首相官邸の『裏側』はどうなっているのか」「首相が意思決定をする際は、どういう仕組みになっているのか」など国民が知りたいことを、本などで執筆する権利があるはずだ。そこで「首相や政府は実は裏、つまり国民の目の届かない所でも頑張っている」などといわゆる「提灯記事」を書くようでは、意味がない。役目を終えたら、反旗を翻してでも、政府の悪い点、直すべき点をきちんと公にさらすことが、元記者の立場から首相補佐官になった彼には求められている。

本当にジャーナリズムを貫きたいのなら、通信社記者の肩書でテレビのコメンテーターを続けている、という選択肢もあったはずだ。それをあえて投げ捨てて、首相官邸の中に入る道を選んだのだから、よほどの決断だと思う。その「決断」がどういうものなのかを知りたいところだった。それは彼が「お役御免」になってから、国民の知る権利に応える必要がある。少なくとも、彼の単なる「社会科見学」として、彼自身の教養を深めるための就任ではないことぐらいは、彼自身に認識してもらいたいものだ。

48 大学生の学力低下が深刻な現状を考える

２０２０年10月のある日、ある大学で同世代の私と同じ「実務家教授」と話をする機会があった。その人はＩＴ企業出身で、ＩＴバブル時代からインターネット業界を牽引してきた、ある有名企業の管理職出身者だ。お互い、研究者一筋ではない経歴をもとに、意見交換をした。その人が言うには、企業で大学生世代を採用する側からすれば、勉強ばかりしていた人よりも、体育会で汗を流してきた若者の方が営業力や企画力などが期待できる、との趣旨の話をしていた。

私は比較的偏差値があまり高くない大学に勤務している立場から、少しその発言には違和感があった。どれだけ今の大学生の学力が低下しているかを、身に染みて感じているからだった。その意見の違いはどこから来るのか、少し考えてみたが、お互いの勤務する大学が違うため、受け持つ学生の学力が文字通り「ピンキリ」であることが原因ではないかと考えた。相手の教授は比較的偏差値の高い大学で、非常勤講師を掛け持ちしながら教えてきていた。そうした大学の学生であれば、勉強だけでなく、スポーツや趣味ごとにも力を発揮する人がいるが、受験勉強以来、勉強しかしたことがない、という人がいるのも事実だろう。

例えば、超トップクラスの国立大学の経済学部を首席で出たからと言って、トップ営業マンになれるとは限らない。そういう意味では、前述した教授が述べていたことは正しいかもしれない。しかし、極めて学力がない受験生でも合格してしまう大学にいると、せめてもう少し勉強してから入った方が良かったのではないかと言いたくなるときがある。別の大学の専任教授は、「30年から40年前だったら、自分は学力がなく、勉強も好きではないので、高校卒業後はすぐに就職しよう、と考えていた人たちが、今では『大学生』になってしまっている」と解説してくれた。大学側も教員と職員が一丸となって、定員割れと中途退学者を出さないように戦々恐々としている。まさに、今の大学生以下の学生や生徒たちは学校にとり「お客様」として大事にされている。コロナウイルス蔓延の中、秋口からネットを介した遠隔授業と対面授業を並行運用する大学が増えたが、大学に来るか、自宅で受講するかは、学生に任されている。「〇〇大学でコロナのクラスターが発生」とニュースに出れば、将来の「お客様」が減り、大学が破たんする「致命傷」になりかねないからだろう。だから勉強をしない、できない学生に対しても大学側が「揉み手」をして出迎える、そんな時代になったのは情けないことで、結果的には国力全体を落とすことではないかと私は憂えている。

49 大学体育会の違法薬物事件を考える

マンモス私立大学の一つが２０２０年10月17日に会見し、硬式野球部の複数の部員が大麻とみられる薬物を使った疑いがあるとして、部を無期限活動停止にしたと発表した。翌日付けの新聞によると、この大学は当時開催中だった首都大学リーグには出場辞退を申し入れたそうだ。この大学は超有名なプロ野球選手や監督を輩出する強豪校として知られている。確かに現在のプロスポーツ界では、サッカーやラグビー、バスケットボールなど人気が分散しているように見えるが、やはりプロ野球選手と言えば、やがては大リーガーになることも夢ではなく、子どもたちの憧れの的だ。私が記者時代、東京都内の中学で新聞記者の仕事を説明する出張授業に出向いたことがある。新聞社が制作した新聞記者の仕事を紹介するビデオを見せながら話を進めたが、映像に出てくる各部署の記者のうち、日本人大リーガーを取材しているスポーツ担当記者の様子が映し出されると、明らかに生徒たちの目の色が変わったのを思い出す。それだけプロスポーツ選手は子どもたちの憧れの存在であり、社会的な役割も重大だと感じる。

今回は大学生で、まだ社会人になってはいないものの、いずれはプロ野球や社会人野球の選手として活躍を期待される学生も含まれていたかもしれない。記事によると、摘発当初の捜査の段階では、大学の寮で吸っていた疑いもあった。本書を執筆し始めた、ここ数年をみても大学スポーツ界では、大麻の所持や使用していた疑いが相次いで発覚している。モラルや礼儀、法律の順守など、単に試合に勝つだけではなく、人間教育をする最後の学びの場であることを、大学関係者は忘れてはならない。

数年前、私が住む近くの私立高校生が、学校の帰りに制服を着たまま住宅街の一角にあるスーパーの前で、数人で立ち話をしていた。手元から何か煙が出ており、よく見ると、電子たばこを握っていた。私が早速、学校に通報すると、電話口に出た学校関係者は「生活指導の教師に早速知らせます」と慌てていた。こうした社会のルールやマナーを守れない学生や生徒は、ほんの一握りだと信じたい。しかし、今回のように寮での出来事となると、大麻を所持しているチームメートがいることを知りながら、見て見ぬふりしていた可能性も低くはないと推察できる。体育会以外の大学生の中には、大して勉強もしない学生がいる一方、毎日の厳しい練習に耐えている学生たちもいる。その存在は頼もしく思え、私は体育会所属の経験がないだけに、個人的にはすべての学生アスリートは私自身の憧れでもあり、心から応援しているのも事実だ。しかし、決して彼らは何をやっても許される無法地帯の「聖域」で生活している訳でもないことを認識すべきだろう。

50 民生委員不足に報酬を導入しては

地域の高齢者や児童への見守り機能を担う民生委員の欠員が全国的に広がっているとの調査結果

が、２０２０年11月の新聞で報じられた。記事は同社独自の調べで、定員を満たさない市区町村の割合は54％に達したそうだ。記事によると、民生委員は町内会などの推薦で市区町村ごとに任命され、高齢者の相談相手や行政とのつなぎ役となる非常勤公務員だそうだ。しかし、給料はなく、交通費などの活動費だけ支給されるそうである。私は、それでは事実上のボランティアとほぼ同じで、担い手がいないのも当然ではないかと感じている。

記事によると、一人暮らしの高齢者が増える一方で、国は在宅医療・介護を推進する方針で、低所得のひとり親家庭も増えているとのことだ。そのため戸別訪問活動や福祉サービスの利用支援を行う民生委員の存在意義は高まる中で、その基盤は弱まっているそうだ。しかも、都内の民生委員の談話として、60歳以上でも働く人が増え、共働き世帯の増加で、都合がつきやすい専業主婦が減った要因も大きいようだ。

民生委員というと、すでに現役を引退した人か、家庭の専業主婦がボランティアでやってきた面も強いようだ。それに対し記事の中では、ある学識経験者の談話として、民生委員は定年退職者の仕事という考え方を変えるべきだ、との指摘を掲載している。会社勤めをしていても委員を引き受けやすくするのも一案とのことだが、それなら、私は報酬面での条件の改正が必要だと感じる。

要するに、民生委員に対して、日当などの手当てをきちんと支給するようにしてはどうだろうか。非常勤公務員なのに交通費レベルしか出ない、というのは極めて疑問が残る。会社勤めをしても副業として成り立つ程度の報酬は得られるようにすれば、現在進行中の国の働き方改革や、民間企業はもちろん、公務員ですら副業が認められる時代になってきているタイミングで、報酬を市区町村の福祉予算の中から支出することはどうか、と提案したい。

高齢化が進み、昭和時代と違い、祖父母から孫の世代まで同居する大家族制ではなく、子ども夫婦が必ずしも同居しておらず、高齢者だけの「見守り」が必要な家庭が増えている。そうした社会事情を支援するために、私たちの税金を民生委員の報酬として利用しても、私は問題ないと思う。民生委員制度は100年以上の歴史があり、法律で規定されている。ならば政治レベルでの再検討ができるのではないだろうか。

51 コロナ蔓延で生じた大学教員の四苦八苦

2020年の春先からのコロナウイルス蔓延について、私が講師として勤務する首都圏の私立大学をみると、私を筆頭格に教育関係者も右往左往してきた現実があった。

複数の大学を掛け持ちしている私としては、「即席」で作られた、オンライン授業と出席管理、課題作成と提出の一連のシステムが大学ごとに違うため、慣れるのに時間がかかった。ZOOMでの授業録画、課題提出など教員側にも選択肢が与えられた。春先には「早いもの勝ち」であると感じたため、コンパクトサイズのホワイトボードを自費で購入し、自宅で使用している。通販の教育機器メーカーの中には、学校と契約していない個人購入の場合、数千円の「手数料」が上乗せされて請求されるケースがあった。また、私の場合は特に、文部科学省が推奨する「主体的・能動的な学び」を実現するため、一方的な講義だけでは済まない授業が少なくない。情報機器の操作に強い教員なら、ZOOM機能を用いて、グループ分けをしたり、討論をしたりすることは可能だったようだが、あまりにも急激な環境の変化に「アナログ人間」の私は、課題提出をさせる形で授業と成績評価に結び付けるよう「意識改革」するだけで精一杯だった。

昨今の大学では、対面授業が当然視されていたコロナ蔓延時期の前までを見る限り、大教室での出席管理は、大抵、学生にカード型の学生証をカードリーダーにタッチさせるだけで学期末に出欠回数が集計された。しかし、今年度は、オンライン授業のため、私の授業では、教員が設定した締切日までにレポート提出をシステム上で管理することで、「授業1回出席」扱いにした。そのため、大学によっては、1人の学生のレポート提出を確認し、それを「出席」と登録するには、従来から用いられていた別のシステムの名簿上で登録する必要があり、時間がかかった。別の大学では、学生1人分の課題をダウンロードするまでに時間が1分以上かかることが判明したため、急遽、レポート提出用にヤフーメールを新設し、添付ファイルを用いず、通常のメール文として受講学生に「直打ち」してもらって時間の節約を狙った。

学習効果がどれだけあったか、という面で言えば、対面授業の方がよいと感じる。ある専任教授の授業では、ZOOMの自分の画像を名前だけにして姿を隠したつもりでオンライン授業に参加し、裏では自室のベッドで横たわりながら講義をBGMのように聞いている学生もいたことが、学生側のちょっとした画像の「消し忘れ」から発覚したそうだ。人間同士が直接会ってこその「教育」であり、「学習」の権利が満たされるのではないか。「まずは対面授業」が当然の日が来ることを祈っている。

52 私立大学の合併を加速させよ

2020年の時点で慶応大学と東京歯科大学が合併することが報じられた。同年11月27日付けの報道(オンライン版)によると、東京歯科大学歯学部を慶応大学に統合する形のようだ。すでに慶応は旧共立薬科大学を薬学部として吸収合併した経験があり、「医療系に強い慶応」の印象がさらに強くなると思われる。慶応と薬科大や歯科大との合併は、今後の私立大学の合併に拍車をかけるのではないかと感じている。というよりも、こうした動きに私立大学関係者はもっと敏感になるべきではないかと思う。

私は首都圏の複数の私立大学で教鞭をとっているが、さらにその一部の大学では、これだけ「少子化が進んでいる」時代であるにもかかわらず、とくに職員たちは「のほほん」としている印象を受ける。あまり勉強をしなくても入学できる大学の、あくまでも一部であると信じたいが、むしろ学生を「お客様」のように扱っている大学も少なくない。

数年前、私が授業でグループワークをさせた際、付箋に「自分の大学のメリット・デメリット」を書かせたことがあった。そうしたらメリットの欄に「○○先生がお菓子をくれる」と書いた学生がいた。研究室に何らかの用事で来た学生に、その教授はいちいち菓子を手渡していたようだ。確かに、ゼミの終わりに「一息」つくために、指導教授が手に入れた菓子をゼミ生に配ることは昔からよくあることかもしれない。しかし、この大学では、教授側が学生に対して「ご機嫌取り」をしているようにしか感じなかった。大学の中には学生のことを大事にするあまり、事務職員が「なるべく（成績評価で）『不可』はつけないように」と教員に配慮を求める大学すらある。もともと大学の評価は「優・良・可・不可」だったが、現在は「90点以上」の場合、「優」の上に「秀」が追加された。

アルファベットでいうと「S・A・B・C・D」で「D」が「不可」に相当する。大学によっては例えば、欠席が5回以上あると「不可（D）」になるのを、あえて「出席日数不足」という評価項目を作り、「G評価」とさせる大学もある。私は半年で15回（週）授業があるところ、3分の1も欠席している学生は、いかなる理由でも「不可（D）」でよいと思うが、大学側は「G」とするように求めてくる。それでは企業の採用担当者が「学歴フィルター」を用いて、自ずと大学名で新入社員を選ぶのも「やむなし」となってしまうのではないだろうか。そうした悪弊を断ち切るために、大学の全体数を減らし、「少しは勉強しないと、大学には入れない」という時代に戻らなければ、日本人の学力は益々落ちるばかりで、入社後の世代ごとの意思疎通ができないなど弊害が多く、結果的には各企業の業績ももう少し頑張ればよくなるのに、ならない、という結果を招きかねないのではないかと感じている。

53 コロナ蔓延で「ピンチ」を「チャンス」に

コロナウイルスが全国的に蔓延し、感染者数が前日を大幅に上回る数値が毎日のように報道されている。少なくとも私が生活している東京都心部では、満員電車の通勤ラッシュが当たり前の日常となり、冬になってからは寒さのせいか、窓を開けての換気すら全くしていない車両もみかけるようになった。それに加えて、車内で飲食したり、大声で会話をしたりしている人をみかけるようになり、明らかに緊張感が薄れているように感じる。

政府や都道府県知事らにより、感染者が数千人から1万人を超えている時期に、緊急事態宣言を出して、飲食店などを休業させないのはどうしてか、不思議に思っている国民も少なくないのではないか。もちろん、飲食店などは年末年始の忘年会や新年会など「稼ぎ時」であることには間違いない。各地の飲食店が営業することは、酒造メーカーをはじめ、食料品やその他の業界、各方面にも大きな影響を与える。経営者をはじめ、従業員の生活もかかっているほか、日本の経済にも影響を与える。よく政治家はコロナ対策の方針を掲げる際、「経済を回す」ことと医療の充実の両面から対策を立てていきたい、といった趣旨の発言をするが、経済が回らなくなる、つまりは不景気が長続きすると、今後の政治や経済にも影響しかねない、つまりは政治家の力量が問われることが懸念されるのだろう。

しかし、ここで何らかの形で生活形態や業態の変換が迫られている、と思い切って「腹をくくる」ことも必要ではないか。私は大学の現代社会論やキャリアデザインの授業でよく事例として引き合いに出す、ある企業のエピソードがある。私は学生たちに「昔のカメラは『フィルム』というのをセットしなければ撮影できなかったのだよ」と説明し始めると、彼らはキョトンとした表情を見せる。今やデジタル化が進み、デジカメどころかスマートフォンで高画質の写真が気軽に撮れる時代だ。そうした時代に生き残っているフィルムメーカーが、化粧品などを出してテレビCMなどを放映している、という業態変換の成功例を挙げるのだ。

大学の同窓会などですでに定年を迎えて年を重ねた人たちからは、ZOOMでもよいのでお互い顔を見せ合おう、という声が聞かれる。リモート飲み会も盛んなようだ。しかし、「忘年会」とか「新年会」をはじめ、春先の桜の季節に「花見をするため、新入社員が場所取に駆り出される」などという、昭和時代から引きずっている生活習慣自体を見直すことこそ、せっかく集めた人材を手放さないで済むことにつながるなど、「ピンチ」を「チャンス」にする可能性を探ってはどうだろうか。

54 新聞の「書写」は基礎学力が必要

「『天声人語』書き写しの異様」と題した文章が、2020年12月20日付けの産経新聞（電子版）「新聞に喝」欄で報じられた。書き手は有名国立大学の元教授だった。この元教授は、朝日新聞が「新聞を教育に取り入れよう」とNIE（ニュースペーパー・イン・エデュケーション）の運動の一環として、朝刊1面のコラム「天声人語」を書き写すためのノートを販売していることを取りあげていた。これは読売新聞も「編集手帳」という同様の1面コラムを書写するノート販売をビジネスとして行っていることにも関連する。

元教授は、「天声人語」について、「人畜無害な歳時記風のものもあるが、日本に対する偏見と差別に立脚した、胸の悪くなるような、偽善に満ちたものも、また多い」と評している。そして「極端に腐敗・偏向した文章を、純真な児童生徒が、あたかも般若心経の写経のように、一字一句懸命に写すありさまは、まことに異様というしかない」とも述べておられる。私も高校時代に国語の教師から自宅で購読する新聞のコラムを「書写」して提出するよう何度も求められた。当時は、大抵の家庭で新聞を購読しており、やはり朝日の「天声人語」を写してくる同級生が多かった。その国語の教師は、「この筆ペンが書きやすい」などと、書写する際は当時発売されたばかりの筆ペンを使うことまで促していた。

確かにイデオロギーの違いは誰にもあり、自分の子どもが「天声人語」を写している姿を快く思わない保護者もいるかもしれない。ただ、内容はともかく、私が大学や予備校の講師として文章表現を教える立場になった現在、「序論・本論・結論」を踏まえた理路整然とした文章を書けるようになるため、また、入試の小論文などで必要とされる文章力を養うには、「天声人語」を含めた新聞1面のコラムは、感傷的な表現など、エッセイのようで、必ずしも文章上達には結びつかないと考える。

実際、現代になっても中学や高校の教師の中には「新聞のコラムを読むとよい」と指導している人が少なくないようだが、私はどうせ新聞を教材にするなら、「社説」を読むべきだと言っている。「起承転結」が揃い、政治や経済、外交から文化・スポーツまで「旬な話題」を扱い時事問題にも精通するからだ。ただ、社説を写すにも、幼少時から本を読む習慣があり、学年相応の漢字力があって初めて効果が出ると思う。中には、「受験勉強に専念したいので」とテレビも見ない子どももいるようだが、同居する保護者はニュースぐらい見せてあげてほしい。そして、ニュースや社説を見たり読んだりした上で、「自分はどう考えるか」と文章化してみるのだ。単にコラムを写させるだけの授業は「手抜きの指導」と言っても過言ではないだろう。

55 「お母さん食堂」の弁当を作ったコンビニの話

あるコンビニエンスストアが惣菜などのネーミングを「お母さん食堂」と銘打って売り出した。元ジャニーズのアイドルの一人がCMに出演。久しぶりに実家に帰ってきた息子役の彼が、やっぱりお母さんの味はいい、といいながらおかずをおいしそうに食べている風景の後、コンビニの店内で母親が「お母さん食堂」の惣菜を買っていたのを見てしまった、というコミカル仕立てのストーリーだった。

「週刊新潮（2020年1月28日号）によると、この「お母さん食堂」に抗議の声が寄せられているのだそうだ。同誌記事の前文では、『お母さん食堂』に抗議の声を上げた人々は、そこにも性差による家事負担の偏りを見出すのだろうか。男女平等という美名の陰に垣間見える違和感の正体とは」と問題提起した。私は「お母さん食堂」のネーミングは決して悪くないと思った。曲がりなりにも男女協働参画社会になり、男性も家事や育児を行い、女性も社会進出すること自体に全く異論はない。

しかし、「お袋の味」という日本の伝統にもあるように、母親が直接作らなければ出せない味とか料理というのは、どの家庭にでもあるはずだ。その家庭ならではの味噌汁やカレーの味というのは必ずあるはずなのだ。だからといって、女性は家事に専念するべし、などという考えには至らないし、企業で働く女性が夕食のおかずを買って子どもが待つ自宅に帰る際、このコンビニに立ち寄り、「お母さん食堂」のメニューから選ぶことも十分想定され、現代だからこそ必要なのではないだろうか。

スーパーの惣菜売り場でも、最近は「個食」といって一人分のおかずをパック詰めして数点販売している。私もスーパーなどの総菜売り場で帰宅途中の会社員と思われる女性の姿をよく目にする。そうした惣菜にコンビニならではのネーミングをつけただけで、女性軽視などにはつながらないはずで、過剰反応と思う。記事によると、「仕事と子育ての両立で忙しいお母さん達が、子供や家族みんなに安心して食べさせられる食事であること」がコンセプトのようだった。「何らかの家庭の事情で、親が不在で福祉施設などにいる児童生徒はどう思うか」などと意見がでるかもしれない。しかし、それは全くの別の問題で、むしろ、女性への敬意が含まれていると私は解釈したい。

56 薬害の歴史を忘れるな

新型コロナウイルスが蔓延し、２０２１年の年明けからは第６波としてオミクロン株という新たな変異株が発見され、日本各地に感染者が増大し、本書執筆時点では、いまだに収まる気配がない。そうした中で、日本においてもコロナウイルス向けのワクチンの3回目接種が開始された。確かに、欧米においてすでに接種が始まっており、テレビニュースなどでは、ある国では行政側が準備した接種場所を映し出し、国民が接種するための配置などが「これだけ要領よく準備されている」と紹介していた。ニュースでは、他国の動きはどうなのかを伝えるのも一つの役割かもしれない。しかし、他国が要領よく接種しているからといって日本もコロナワクチンを急いで接種を始めてよいものなのかどうか、疑問を感じている。もちろん、「副作用（ワクチンの場合は副反応）などはない」と認められた上で、国内における審査が慎重に進んでいると信じている。しかし、「良かれ」と認識されて世間に普及した薬が、かえって私たちの身体に害を及ぼした、しかも、単なる一時的な副作用だけではなく、長年にわたり障害を与えることになった、数多くの薬害があったことを忘れてはならない。そうした警鐘を鳴らしているとも受け取れる記事が、ある週刊誌で「必読『薬害』の歴史」と題して特集されたのは、雑誌ジャーナリズムのあるべき姿だと考える。記事においてはまず、「過去の事例から検証する『新型コロナワクチンは安全か』」と題して、読者に課題を投げかけた。中には2002年の「薬害イレッサ事件から学べること」とか「コロナワクチンに表れた副反応」という小見出しで、国内外の事例を紹介していた。さらに読み進めると、「日本で発生した薬害　その悲劇の実態」と題して、戦後、「京都・島根ジフテリア予防接種禍」（1948年）、「薬害スモン」（1955年）、「クロロキン網膜症事件」（1971年）、「薬害エイズ事件」（1980年代）、「第三種混合（MMR）ワクチン禍」（1989年）、「薬害ヤコブ病事件」（1996年）などが被害者数とともに紹介された。これらは大半が、最初は安全であると判断され、国の判断を国民が信用する形で多くの人が注射や服用をした経緯がある。コロナウイルスが蔓延しなくても、特効薬がなくて難病に苦しむ人は多く存在する。「この薬が効く」と聞けば、すぐに「これで楽に暮らせるならば」と飛びつきたくなるのは、人間である以上仕方がない面もあるかもしれない。だからこそ、薬の普及には慎重になって当然であり、常に「他国で認証されていても、検証すべき点は他に残っていないか」と自問自答しながら審査に臨むことが国の責任であり、それを監視するのが、メディアの役割だと考える。

57 高校野球大会は年1回ペースで

3月になると毎年、春のセンバツ高校野球が始まる。夏にも同じく高校野球の全国大会が同じ甲子園球場で行われるが、前者は主催者による「選抜制」でそれまでの前年秋の県大会などの成績を総合的に考慮して出場校を決める一方、後者は都道府県ごとの「勝ち抜き戦」だ。昭和時代までは高校運動部の「花形」と言えば野球部だった。しかし、平成時代に入り、Jリーグが始まってサッカーが盛んになると、若者のスポーツへの関心が分散していった。昭和時代、少なくとも私のように少年時代を東京都内で過ごした者は、「野球は巨人」と野球に興味がない子でもジャイアンツのマークがついた野球帽をかぶり登校していた。平成から令和時代となった今ではバスケットボールやラグビー、アメフト、卓球、水泳など、若い世代のスポーツへの関心分野は多種多様というのが私の印象だ。

そもそも一部の全国紙が高校野球の主催者（社）になっているが、これは昭和時代、ニュースの発信源がまずは活字による「新聞」とされた時代に遡ることができる。さらに大学出身者よりも高卒、場合によっては中学卒業後就職する人が多かった時代に、新聞社の販売促進の一環として「利用」されてきた事情がある。「地元（故郷）からの出場高校の活躍を大きく載せている」と宣伝し、とくに夏などは盆休みもあり、企業が夏休みで「（ニュースの）夏枯れ」と呼ばれる時期に、東京も含めて地元のローカルニュースを載せる「地方版」と呼ばれるページでは、7月の県予選（地方大会）の段階からスポーツ新聞のように紙面の8割以上を高校野球の話題で割いてきた。しかし、そうした新聞社の販売促進活動は、「時代遅れ」になっている。

そもそもニュースは新聞でもテレビでもなく、「スマートフォンの一行ニュースで事足りる」と考える人が増え、新聞の発行部数が急激に減少している。追い打ちをかけるように、野球部人気が低迷し、首都圏でも、とくに公立高では野球部自体が成立せず、県予選に出るチームを複数の学校が合同チーム作らなければならない事態すら発生している。

皮肉なことに、世の中の出来事や事象、「時代の流れ」をいち早く読んで読者に伝える役割の新聞が、時代遅れなことをしているのだ。しかも、地球温暖化も影響しているのか、日本を取りまく気象状況も夏は酷暑であるなど、外でスポーツを長時間できる状況ではなくなってきている。高校野球をニュース取材として意地を張って続けていれば、新聞社の経営悪化にさらに追い打ちをかけることになりかねない。２０２２年の春のセンバツの選考にあたっては、ある県で出場を有力視されていた高校が選考から漏れるなど、少しずつ「慣例」の矛盾が見えてきている。この際、春と夏の高校野球をせめてどちらか1回に統一するということを考えることも、「時代の流れ」なのではないだろうか。

58 東京都内現職校長の「遊泳」死去が判明

東京都内多摩地域の現職中学校長がある年末、全国的なコロナ蔓延で感染防止策がとられる中、持ち場の東京都を離れ、静岡県内でスキューバダイビングをしている最中に死亡していたことが、筆者の教育関係者への独自取材で明らかになった。当時は、日本中が不要不急の外出を控え、年末年始も「静かに生活する」ことを社会全体で申し合わせていた時期に、現職の中学校長が全国的にみても感染者数が当時は比較的少ない静岡県に出向き、ダイビングをして遊んでいたらしいのだ。確かに「死屍（死者）に鞭打つ」のか、という意見もあるかもしれない。しかし、コロナ蔓延時期に自分も学校長として生徒たちに対してマスクの着用や手の消毒、検温、ソーシャルディスタンスを保つことなどを徹底させる立場だったはずだ。週末の出来事とは言え、公職にある学校長の行動としては極めて問題だろう。

地元の新聞記事によると、地元の警察の発表記事として《(静岡県内のある漁港付近で、東京都M市、職業不詳Eさん（59）がダイビング中に死亡したと発表した。また、Eさんと一緒に潜っていたインストラクターの男性も負傷した。意識はある。署によると、事故当時、Eさんはインストラクターの男性を含む3人でダイビングをしていた。漁港付近にいた人から110番通報があり、付近の漁船によって救助された。》と報じられた（記事は２０２０年12月20日付けと21日付けの２紙を参照、住所地と氏名は筆者がローマ字表記に直した）。

私は記者時代、事件や事故の取材は他の記者と比較しても多く経験した方だと思う。警察発表などの場合、事件や事故の初報段階では「職業不詳」というケースはよくあったが、私の場合は頻繁に警察に電話をして、「その後、亡くなった人の職業はわかりましたか」と広報担当者に繰り返し尋ねていた。公人や有名企業の役員、有名人などだと、仮に亡くなっていなくても積極的に報道する義務があると考えていたからだ。

今回の場合、遊んでいたのは校長を含め３人のグループで、少なくともインストラクターと「もう１人」は生き残ったことが推察できた。その２人に聞けば、亡くなった人が東京の校長であること位は警察もすぐに確認できていたはず。さらに問題なのは、東京都や地元の市の教育委員会内で、学校を管轄する立場の公務員が責任をとった形跡がみられないことだ。確かに、学校の教諭や校長とはいえ、コロナ蔓延を考えなければレジャーなどを楽しむ権利はある。法律に触れない限り、休日にどのような過ごし方をしても構わないだろう。しかし、社会的立場というのも忘れてはならない。人間教育に携わる学校長自ら、また、高校入試など生徒にとって重要な行事も控える年末にもかかわらず、静岡まで遊びに行っていたことは、子どもを預ける保護者の立場になったら、「無責任ではないか」と憤りを隠せないのではないだろうか。

第2章　政治・経済

1　大型SCの地方都市撤退を考える

大型ショッピングセンター（ＳＣ）の、地方都市における撤退がいくつか続いているようだ。ＳＣが撤退することにより、地元の住民の買い物が不便になるだけでなく、生活そのものができなくなる可能性が高いことは、実は２０００年代から地方自治体の関係者の間では「ささやかれていた」話だ。

私は新聞記者として、２０００年代半ばまで地方都市をいくつか転勤していた。そこではまず、新幹線や主要な在来線が停車する主要駅があるものの、駅前商店街の衰退が社会問題になっていた。理由の第一は、商店主が高齢化し、店を存続できなくなり、「空き店舗」が増え、商店街は「シャッター通り」と呼ばれ始めていた点。そして主要駅から3～4キロほど離れたところに数百台の車を収容できる駐車場付きの大型ＳＣの建設がはじまった。地元の経済関係者やメディアは、あまりにも敷地面積が広いため、「まるで軍艦のようだ」と語っていた。主要駅を降りると駅前に賑やかな商店街が続いている光景は、各地でみられなくなった。

地方自治体の行政課題の一つは「中心市街地の活性化」がキーワードとされていた。そのような傾向がみられた都市は、いわゆる「クルマ社会」で、家族のほとんどが1台ずつマイカーをもっている家庭が多かった。本当に過疎化が進んだ町や村では、コンビニに行くだけでも車で行かなければならず、都心部でみかける、例えば、全国各地でチェーン展開している牛丼店やラーメン店、ファミリーレストラン、紳士服店に加え、パチンコ店など、どの店も街道筋に駐車場を備えている、という典型的な「クルマ社会」が成立していた。そのため、日常生活をしていく上ではチェーン店とSCに買い物に行ってまとめ買いをしておけば、駅前商店街が衰退しても問題なかった。

しかし、SCまでもが撤退すると地元の人はとても困るだろう。SCができるからという理由でその近辺には大型マンションが建設されたばかりではなく、人口が増えるため学校や病院などが建設ラッシュとなり、一つの「街」が出来上がった。これは40年以上前に建設された郊外型のニュータウンの現状と似ているかもしれない。その新たな「中心市街地のかなめ」となったSCが撤退すれば、人々のライフラインが閉ざされてしまうことになりかねない。

これらの課題は、行政担当者だけで解決できるものではなく、地元住民やSCを出店・閉店する企業関係者などが知恵を出し合い、総合的な視点で、街の存続、つまりは人々の生活の「場」づくりを考える必要があるのではないだろうか。

2 ビジネスパーソンのキャリアデザインとは

マリナーズのイチロー選手が引退を表明したのは、一時代を長年築いたベテランアスリートの存在を改めて認識させられた。高校時代から野球選手としての才能が脚光を浴びていて、長年、日本人のヒーローとして、世界を舞台に活躍してきた彼の功績は、同じ日本人として誇りに思え、敬意を表したいと思ったほどだ。

40代まで大リーグで現役を続けてきたのは、才能はもちろん、並々ならぬ努力があったものと思われる。今後も何らかの形で、野球やプロスポーツの世界で第2の人生としての活躍が期待されるが、いくつかの報道を見る限り、やはり「野球が好きだ」という思いが彼の根底にある。しかし私は、イチローの長年の活躍と引退劇は、単に特殊な才能をもった一部の人の「伝説」ではないと思う。ここで、第2の社会人人生をどのように送るか、について考えてみたい。

こうしたテーマを本書で取り上げるのは、私が社会人の初期から中堅期に関わった複数の有名新聞社で、近年、リストラが進んでいるという話を伝え聞いたためだ。自主的な希望退社も含めて、すでに50代で退職を決めた社員が相当いるそうだ。かつての同業者仲間とその話をしていた際、イチロー選手の現役引退のニュースが飛び込んできたのだ。

「イチローのようなスーパーヒーローと、実際は会社員に過ぎない新聞記者を比べられるのか」といった声があるかもしれない。しかし、人生のキャリアデザインを考える上で、やはり共通点もあるのではないかと思う。それは「次」の人生で、これまで培ってきた技術、腕前を生かせる職業に就くか、あるいはいっそのこと気持ちの整理をして、生活費を稼ぐことだけを第一に考えて別の職種を選ぶか、二者択一を迫られると想定される点である。

確かに国民栄誉賞まで検討されるほどのイチロー選手は、何らかの形で今後も野球やその他スポーツの世界に関わっていくだろうと思われる。しかし、会社員の第二の人生を考える上では、大きく分けて、これまでの技術を生かし、自分がやりがいを感じられるか、好きな仕事であるか、そして、収入も含めて「ステップアップ」に結びついているかが問われるだろう。前述した新聞社でなくても、40代後半から50代の「そろそろゴールが見えてきた」世代とて、現在は人生100年時代である。次のステップ、さらに次のステップを見渡していく必要に迫られているのではないだろうか。

どの会社でも1980年代に新入社員になった「バブル入社組」はその大半が現在、管理職に就けずにいるようだ。そのまま「お荷物」になるのか、「ステップアップの能力熟成期間」にできるかは、あくまでも本人次第だと言える。まさに人生の課題ではないだろうか。こうした課題は若い学生の世代でも、「明日は我が身」であることは、どの時代になっても同じであることを忘れないでほしい。

3 新入社員・中堅社員のトリセツ

読者の皆さんの会社に、今年も新入社員が入ってきて、新人研修を行っている例が少なくないのではないだろうか。私はジャーナリストの傍ら、大学や予備校の教員などとして、これから社会人になる、あるいはすでに社会人「中堅」クラスに近づいた30代くらいまでの若い世代に関わる機会が少なくない。そのような経験から、「『もうひと踏ん張り』ができない世代」がいよいよ社会に出る、と推察している。

今から5年ほど前、ある高校生専門の予備校で教鞭をとっていた際、高校3年の受験生を担当した。ある男子生徒は「目標校」のA大学と、「実力相応校」のB大学の推薦入試を受験し、まずは、B大学をクリアした。当然、私は、彼がA大学に行きたくて仕方がないのだろうと思い、「次はいよいよA大学の本番だね、頑張って」と励ました。すると彼は、「A大学は受験しないことにしました」というのだ。理由を尋ねると「(B大学の入試で)もう疲れちゃったんです」と言った。

私の大学受験時代は、「目標校」から「滑り止め」まで10校程度受験するのは当然だった。たった1校受験しただけで「疲れた」と言うのには少し驚いた。彼の言動は昨今、決して例外ではなく、第2、第3志望の大学に合格したら、それ以上は「頑張らない」という感覚の学生が、昨今は多いようだ。

一方、中堅世代はどうか。広い意味で私と同じ業界の知人に、大学卒業後30代後半までフリーランスを続けている人がいる。その人はちょっとした意見の相違で、すぐに「カンシャク玉」を破裂させ、感情のコントロールができない。もう四十路なのに、そういう言動しかとれないのだ。もちろん世間の中堅世代の社会人がすべてそうだとは言い切れないが、その人の口癖は「私は就職氷河期だから正社員になれなかった」というのだ。たまに自分の仕事仲間(の正社員)は「できない人ばかり」とボヤいていることもある。もちろん、就職氷河期は大変な時代だった。しかし、決して正社員になれない人ばかりではなかったはずだ。企業によっては確かに採用数を減らしたものの、少なくとも採用はしていた、という企業も少なくない。前述した「中堅」の人は、その後も正社員への応募を続けているようだが、面接で落ちているようだ。

現在の管理職世代はバブル世代が多く、よく、「会社のお荷物」などと言われる。人件費の面で若手に比べれば多い給料をもらっているかもしれないが、お荷物とも言い切れない部分、つまりは経験や知識、コミュニケーション力があるはずだ。日本企業の良い意味での伝統や社会人基礎力を、毅然とした態度で若い世代に「教育」していく。それがバブル世代の管理職の、若手に対する義務ではないだろうか。

4 令和時代の理想の上司像を考える

ビジネス雑誌『プレジデント』（2019年7月5日号）は「稲盛和夫が教えてくれた『人間の器』の広げ方」という興味深い特集を組んだ。記事にもあるように稲盛さんは、創業した京セラを世界的な企業へと育て上げ、少数の若者とともに起業した第二電電をKDDIに成長させた、世界を代表する経営者とされている。

記事では稲盛さんの側近の1人の証言として、稲盛さんは言葉だけではなく、言葉と行動が一致していたことが紹介されていた。立派なことを言うだけで行動が伴わないと、逆に不信感が生まれ、社員のモチベーションが下がるそうだ。

また、同誌は関連特集として、「器がデカい人vsちっちゃい人」というアンケート調査結果を紹介している。20代から60代の男女500人ずつから回答を得たもので、中でも「謝り方と器」の記事では、「危機的状況での振る舞いに人間の器が出る」と定義づけていた。「部下のミスに『俺に任せろ』と言えるか」という質問に対して、「部下は叱るが、自分も一緒に謝りに行く」という人が77.6%いたそうで、頼もしい数字と言える。そして記事では、器の小さい上司に振り回されないためには「ここまでは相手にするけれど、これ以上は受け流す」と、自分の中で線引きすることが大事だそうだ。この手の上司は自分より上の立場の人に弱く、何かあったときに部下をかばってくれない」そうだ。

私がかつて新聞社に記者として勤務していた際、情けない上司と遭遇した経験が何度もある。もちろん以下は個人的見解を大いに含んだ意見だが、ある上司から勤務中にいきなり電話がかかってきて、「君は酒を飲んで車を運転することがあるのか」などと全く身に覚えのない質問が飛んできた。東京・多摩地区の担当で、自家用車取材が認められていた地域だった。

しかし、私は酒は昔から強くなく、付き合い程度しか飲めなかった。まして犯罪につながる飲酒運転などやるわけがなかったのだ。少し考えただけですぐに事情がわかった。この上司が質問をした背景は2つあった。1つは全くの別件でこの上司の部署から個人情報流出問題が発覚したことで、彼が責任をとらされていたのだ。また、全く別の地域の同社の記者が飲酒運転をして、警察に検挙された事案も発生していた。しかし、電話の話しぶりから、私を心配していたわけでは決してなく、上司自身が管理職としてこれ以上責任を取らされたくない、という思いがあったと感じた。

別の日の会議の中で「僕はもっと偉くならないといけないから」などと漏らしていたこともあり、

情けない、「器の小さい」上司だった。もちろん、自分より上の階級の人間には「ポチ」同然の振る舞いしかできなかった。学生の立場でこれから社会に出る人は、このような「上司」も皆無ではないこと、だからといって悲観する必要はなく、組織の中では、そうした上司でも遅かれ早かれ「異動」することを覚えておいた方がよいだろう。

5 障害をもつ国会議員誕生で考えるべきこと

２０１９年7月に実施された参院選で当選し、8月1日に召集された臨時国会で重度の障害のある新人議員が初めて国政の場に足を踏み入れ、意見を表明したというニュースが各新聞で報じられた。記事によると、そのうち1人は次第に全身が動かせなくなる難病「ＡＬＳ（筋萎縮性側索硬化症）」で、もう1人は脳性まひで右手以外の体をほとんど動かせない障害があるそうだ。

2人の登院のために改修工事も行われたほか、新議長を選ぶ本会議で2人は介助者に代理記名してもらい、1票を託したそうだ。仕事中の介助費を国が補助することの是非も新しい論点として浮上したようだ。また、難病関連の団体の幹部も「難病患者らが国政の場で活躍するのは画期的」と評価した。

私もいずれは障害者の人たちが国会議員に当選し、国全体として障害者の立場を考える時期がくると考えていた。2議員の活躍は地方議会にも影響を与えるはずだ。国や地方に関係なく、障害者をはじめとする少数派の人々の意見が確実に通る社会の実現を願うばかりだ。

ところで、こうした動きは、選挙や議会のあり方も変える可能性が出てきたということではないか。記事の中である学識経験者は「ネットの中継を利用した委員会への出席なども含め、柔軟に見直す必要」を訴えた。多方面から制度を柔軟に考えないと社会の本当の意味での多様性の実現は望めないだろう。

「ダイバーシティとインクルージョン」という言葉がある。「多様性とその受容（受け入れ）・包摂」と訳されており、性別や国籍、考え方や価値観、生き方など、それぞれの人々の立場をお互い尊重しあってこそ、現代社会の課題を解決するとされてきた。しかし、本当に社会の少数派の人々の立場が尊重されてきたかというと、今回、参議院が２人の当選で急きょ、改修工事を実施したように、必ずしも優先して考慮されてきたとは言えなかったかもしれない。

そうした意味では今回の２議員の初当選は国会や地方議会が変わっていくきっかけになると思われる。難病や障害に苦しむ人は全国に多数いる。そうした人々の代弁者になるため、２人の存在と責任は重いものになるはずだ。病気や障害はその当事者でなければわからない「生きづらさ」があるのも事実だ。２人の当選は少数派の人々の心の支えになるかもしれない。これは単に少数派の人々が予算を要求したり、運動をおこしたり、というだけにはとどまらない問題だ。健常者と障害をもつような少数派の人がどのようにお互いの主張を尊重しあい、どこまで折り合いをつけていくか、これは２人を国会に送り出した私たち有権者が、２人だけに任せることなく、ともに考えていく重要な「宿題」を与えられたと言える。

6 台風直撃続き、公共工事予算の増額を

２０１９年10月12日から13日にかけて首都圏や東北地方を襲った台風19号は、各地に大きな被害をもたらした。大雨が中心で、特別警報が出されたこと自体、異例のことだった。今回、各家が甚大な被害を被ったこともあるが、発生直後に目立ったのは、河川の氾濫や決壊だった。約1か月前に発生した9月の台風15号では、暴風雨が中心で、むしろ暴風で自宅の屋根が飛ばされたり、看板や電柱が壊れたりした被害が多かったのに比べ、今回は雨中心の台風だった。２０１８年には6月から7月にかけて被害をもたらした西日本豪雨が記憶に新しい。専門的なことはわからないが、昨今、地震はもとより、台風や豪雨などの自然災害が目立つようになった。当時の報道番組では、専門家が今後も同じような被害をもたらす自然災害は何度も起こりうる可能性が高い、といった趣旨の発言をした。異常気象の一環ではないかと推察できる。

今回はとくに大規模河川の決壊や氾濫について、ダムの水があふれる恐れがあるための緊急放流が盛んにニュースで伝えられた。河川の氾濫防止やダムの在り方など、場合によっては大型公共工事も含め、自然災害に対する防災面でも予算をつけることを再検討し直す必要があるのではないか。

確かに少子高齢化に基づき、子育て世代や高齢者を抱える保育や介護などの福祉予算は大切だ。しかし、財源がないとどうしようもないということで「税と社会保障の一体改革」と称して国家や都道府県および市町村の予算を、まずは社会福祉に充てることが重要視されてきた。私もそのこと自体を

否定するつもりはない。ちょうどそういった福祉中心のキーワードが盛んに言われ始めたころ、公共工事は後回しにされてきた。政治家などが絡んだ贈収賄事件や建設会社同士の談合疑惑などが社会問題化していた背景もあったと記憶している。

しかし、これほど自然災害が多い国になった以上、少なくとも地震や暴風雨に耐えられる国土の整備が必要不可欠ではないか。今回のように大型の台風が来たために河川が氾濫し、平地が水浸しになるというのは、行政の課題だ。もちろん予算がかかる。しかし、今回の台風のように人々の生命に関係する自然災害を防止するための公共工事であるならば、大いに予算を増やしてもよいのではないか。

7 政府は拉致被害者帰国交渉を進展させよ

北朝鮮に拉致された横田めぐみさん（失踪当時13歳）の父親で、横田滋さんが２０２０年6月に亡くなった（享年87歳）。6月7日付日本経済新聞社会面では、「拉致問題進展なく横田滋さん死去　被害者家族　進む高齢化」との見出しで報じた。

記事によると、拉致被害者家族会が結成されたのは１９９７年で20年以上前。横田さんは初代会長を務め、拉致被害者家族の代表として記者会見に臨んだり、署名活動、講演会などに積極的に参加したりしてきた。２００２年には当時の小泉純一郎首相が訪朝し、拉致被害者5人が帰国したが、横田めぐみさんはその中には含まれていなかった。

記事においても「政府が認定する日本人拉致被害者17人の半数以上は帰国が実現しないまま。政府は外交ルートなどを通じて解決を試みていると説明するも、解決の糸口は見いだせていない」と解説した。横田めぐみさんが拉致されたとされるのが13歳だとすると、もう60歳近くに差し掛かっている。どのような生活を強いられているのか想像もできないが、日本で帰国を待ち望む親など家族の高齢化ももちろん、拉致被害者本人も、高齢世代に差し掛かっている。60歳前後ならば、日本で何かの職業に就いていれば、定年まで秒読み段階に差し掛かり、人生１００年時代の次のステップの設計も始める年代だろう。

欧米諸国をはじめ、日本に比べれば北朝鮮と比較的外交面で距離が近い国々の理解と協力を再度求めることが政府には必要だ。そして、私たち日本人も拉致被害者のことを忘れたり、拉致事件を風化させたりしてはならないはずだ。普通に日常生活をしていて、何の落ち度もない一般人が拉致され、人生を踏みにじられた訳である。そうした人がいることを、世代を超えて語り継いで行くことも大切だ。中学や高校レベルの社会科の授業などで、拉致被害者のことをよく学ぶことも大事だろう。そのためには韓国と北朝鮮、日本をとりまく東アジアの歴史もきちんと学ぶ必要がある。

今回の新型コロナウイルスの世界的な蔓延で、特効薬の開発が急がれ、各国間の往来が制限されている。健康面や経済面で、自国の安全は自国で守ることで精いっぱいなのだ。確かに現在、「ポストコロナ」とか「コロナ後」のことが課題となっている。明らかに不況が訪れることが想定できるからだろう。自国のこと以上に自分の会社の存続すらおぼつかなくなる中であっても、拉致被害者のことは後回しにせず、現在の内閣で何らかの進展ができるよう、政府には「待ったなし」の状況であることを再認識して、実行に移してほしいものだ。

8 在宅勤務の長期化でわかってきたこと

新型コロナウイルスの影響で、在宅勤務を導入する企業が増える中、生産性の向上が焦点となってきたという報道が2020年6月に取り上げられた。記事によると、ある民間調査では、7割弱の人が、「効率が下がった」と答えたそうで、在宅勤務は柔軟な働き方が可能になるなど利点が多い一方、対話が生む創造力の維持や、成果のはかり方などの面で課題もあり、競争力の強化に向けた企業の知恵比べであると解説していた。

確かに、在宅勤務の導入によりかえって仕事の「効率が下がった」ことは、例えば、パソコンに不慣れであったり、子育てをしながら仕事をせざるを得なかったりと、個人の資質や家庭環境などの面で検討課題になっている部分もあるかもしれない。

家族全員が毎日顔を合わせていると、これまで以上に家事が増え、ストレスが増える一因になっていることも考えられる。一方では、そのこと自体がかえって仕事の効率を悪くするだけでなく、普段ならやらなくてもよかった仕事が増え、「労働強化」につながるという皮肉な結果を招いている例もあるようだ。当初は、毎朝満員電車に乗らなくて済むような、これまでとは違った生活習慣が始まる、などと報道がなされていた。

しかし、ビジネスの世界とは異質かもしれないが、例えば大学においても、まだオンライン機能を用いた遠隔授業と対面の繰り返しが続いている。文部科学省や他大学の「顔色」や動きをみながら判断するという消極的な対応がなされている。「本学からクラスターが出た、などと報道されたら、来春の入学希望者が減ってしまう」と、マイナス面ばかりが不安材料となり、対面授業を再開する決断ができずにいるのも、同じ教育者として全くわからないわけではない。実際、ある大学職員は「(授業を再開した)小学校や中学校と違い、100人以上集まる大教室などで、ソーシャルディスタンスを取るのは難しい」などと発言していた。すべての週でメールのやりとりなどによる課題を出している教員の負担は、大幅に増えている。教科書や教員が即席で作ったレジュメをもとに自分で自習できる学生が多いなら、苦労は少なくて済む。それが可能なのは、現実問題として、ごく一部のモチベーションの高い学生が集まる大学ではないか。例えば、企業であれば「会議のための会議」などが減ったことはよいことだ。しかし、やはり大学では対面による授業、ビジネスの世界では対面による営業や会議をやってこそ、頭脳や心が活性化する側面も十分あることが、コロナによる自粛でわかってきたのではないだろうか。

9 コロナ減収、企業は「社会貢献」止めよ

コロナウイルスの蔓延に対して、緊急事態宣言や蔓延防止策などが繰り返し出されている。緊急事態宣言が初めて出されたころ、一部の評論家や野党などは「宣言を出すのが遅いのでは」などと批判したが、今回は、ウイルス自体が変異していて、どのような構造で、どのように変異株が出現するのかいまだに不明で、特効薬が開発されていない現状では、手探り状態になるのも無理はないだろう。

医師会代表も逐次、会見を開き、医療現場のひっ迫を訴えながら、「外出は控えてください」と注意喚起をするに留まるしか手段がない以上、政治家も具体策が出せないのも無理はない。もし野党が政権を握っていたら、今より最良の策が出せたのか、疑問が残る。この際、与野党が手を組んで、コロナに立ち向かう必要があるのではないだろうか。

私たち国民のレベルでは、政治家の判断を待つばかりでは遅すぎる。実際、「コロナ関連倒産」が増加の一途をたどる限り、企業も手を打つ必要がある。私が考えるに、企業にできることは、第一に「社会貢献を止める」ことではないだろうか。

この10年余の間、企業がCSR事業の予算を組むことが「流行」してきた。例えば、山林に住民とともに植樹するなど環境に配慮した活動を、その企業の本業とは別に行い、その行為自体が企業のPRにもなった。しかし、原点に戻れば、民間企業の目的は利潤を追求することだ。景気が良く、経営に余裕がある時期なら社会貢献も必要だが、この際、CSR予算をなくす方向で事業転換・業態変換

してはどうだろうか。

私が述べる「社会貢献」の中には、社会科学や人文科学系の研究者への補助金助成なども含まれる。自然科学の面ではコロナウイルスの特効薬をはじめ、難病とされる人の医療や福祉、軍事、宇宙開発、ＡＩ部門など新しい自然科学の創造に予算を使うことは、国家予算も含め大切なことではある。しかし、いわゆる文系の研究者の中には、「今」その研究をしなければ国の存亡につながる、などというのはあまり見当たらないのが実状だ。私が知るある大学教授も、ある有名企業から補助金を受けて昨年、書籍を発行したが、内容が薄く、共著の専門の学者が書いた部分以外は読むに堪えない内容だった。本当にこの時期に企業から補助金を受けてまで出版する必要があるのか、疑問が残る内容だった。もちろん、言論・出版の自由は誰にでもあるのだから、本を出したいのなら自費で行えばよい。現在の人の命に関わる緊急事態の中で、「社会貢献」という名の不必要な補助金などは削減し、企業の存続や従業員の給与削減分の補てん、客が支払う値段を安くするなど、予算配分を考え直す必要があるのではないか。

⑩ クラウドファンディング支援業者への不信感

ある年の３月下旬、東京駅近くで実施された、クラウドファンディング（以下、ＣＦと表記）についての説明会に参加した。私自身、その年の初めに、教育関連の一般社団法人を設立したため、何か財政的支援が得られないかという気持ちで参加した。結論は「どのような事業であれ、最初からCFなどをあてにしてはならない」ということだった。

CFは種類があり、事業者や開業予定者が、その事業を支援したいと思う一般の人などから支援金を募り、事業を始める、あるいは続けるものだ。例えば「○口（円）以上協力した人には、同社の商品を返礼として贈る」という場合もあれば、礼状だけの場合もある。あらかじめ設定した金額に達した場合、その額の「大半」が当事者（社）にわたるか、目標額に達しなかったら一切もらわない、などいくつか選択肢がある。それを支援するのが、CF支援事業者で、当時、10社程度が参画していた。HPなどにCF事業者の活動や事業計画をPRする「プラットフォーム」を提供する代わりに、例えば、先日の支援企業であれば、集まった額の2割を手数料として受け取り、支援企業の利益になるという構図だ。

同社の説明を聞けば聞くほど、CF支援企業は単にCFの手数料で儲けているだけで、ほとんど実体がない業態のような印象を持った。興味をもって参加したのが説明会後半の個別相談だったが、応対した女性社員は、詳細は会社のHPの問い合わせフォームから聞いてほしい、といった説明をし、中身の濃い説明は聞けなかった。その人は前半の講演も担当し、熱心に話してはいたが、確実に多額の支援金が集まり、その手数料で自社が儲けられる提案しか自社の「審査」に通さないような印象を受けた。

講演で紹介されたのは最高で5億円程度集まったという成功例だった。後日、ある信用調査会社の担当者に話をしたところ、開業時にＣＦで資金調達しても、長く続かない事業が決して少なくない、とのことだった。

確かに、私も知人が映画制作に携わり、ＣＦで４００万円程度集めた例を知っている。説明会では日本政策金融公庫の「創業の手引」や東京都のＣＦ成功事例集なども同時に配られ、いかにもＣＦ支援企業も公的な企業のような印象をもたせていた。しかし、実はＣＦ支援企業自体もベンチャー企業レベルであるのが現実だった。

金融機関などから融資を受けて開業するのは、何の問題もない。最近、会社員の副業も認められるようになっているが、世の中は甘いものではないことを認識し、資金面である程度、事業の成功を見込んでから開業することが、昔も今も変わらない鉄則なのではないかと感じた。

第3章　多文化共生

1 外国人との共生を実現するために

2018年12月に「出入国管理及び難民認定法及び法務省設置法の一部を改正する法律」が成立した。いわゆる出入国管理法の改正との位置づけである。法務省入国管理局のHPによると、この改正法は在留資格「特定技能1号」「特定技能2号」の創設と出入国在留管理庁の設置などを内容とするものだった。出入国在留管理庁については、私が知る「移民推進」を掲げてきた入国管理に詳しい元法務省幹部はこれまで、このような行政機構を事実上の「外国人庁」として設置の推進を呼びかけてきていた。それが実現する形となった。同HPによると、新しい在留資格の創設に加え、「受入れプロセス等に関する規定の整備」や「外国人に対する支援に関する規定の整備」などが盛り込まれており、制度の面で、仕事をするために来日する在留外国人に対する措置、つまり多文化共生に向けた制度面での外堀、外観が整備されつつあるといってもよいだろう。

しかし、どのように外国人との多文化共生を進めていくかについては、課題が山積している。例えば、同法案成立直後の2019年1月5日付け毎日新聞（電子版）では、厚生労働省は、通訳の確保など医療行為以外のコストのかかる外国人の診察に関し、コスト分を患者に転嫁できるよう算定の目安を定めることが報じられた。訪日客など外国人患者は今後も増える見通しで、医療機関の経営への影響などを考慮しているものとみられる。

しかし、単に通訳の料金システムだけを改訂したのでは、決して完全とは言えない。そもそもその通訳をどのように確保するのかも問題だ。これから増えると見込まれる訪日外国人は、英語圏からの人々ばかりではない。あらゆる国や地域から来日して、日本に移り住み、家族を養いながら働いている実情がすでに存在する。外国人が増えるということは、単に出入国管理の行政手続きを専門とする措置だけではなく、生活の充実も考える必要がある。そのためには言葉の問題を解決する必要がある。各国から訪れる外国人が苦労せずに生活できるよう、専門知識のある通訳の確保が必要だ。当然、医療の現場では病気や病状についての専門用語や知識の習得も必要だ。現実には医学部などで、「医療英語」などの科目を設置している大学医学部が増えているようだ。

逆に通訳が要らない生活を少しでも早く始めてもらうため、日本語学習も必要だ。この件については、日本語教師の大半を住民ボランティアに頼るしかないという現状が続いている。夜間中学における公的な外国人向け教室の開設など、全国各地で少しずつ動き出している側面も見逃せない。しかし、本当の意味でのグローバル化を進めるため、ソフト面の改革、つまりは国籍や性別などを超えて、誰もが不自由を感じない社会を作ることこそ、一刻も早くスタートさせる必要があるのだ。

2 「留学生」大量所在不明を考える

都内にある私立大学の「留学生」が数百人規模で所在不明になっていることが、2019年3月、新聞の電子版で報じられた。記事によるとこの大学が2018年春に「研究生」として受け入れた留学生約2600人のうち、約700人が所在不明になったらしい。「研究生」は日本語などを1年間学び、筆記試験に合格すれば正規の学生になれる仕組みのようだ。約700人は授業を欠席するなど3か月間連絡がとれず、除籍処分になったそうだ。出身地はベトナムやネパール、中国、スリランカなどとのことだ。

2018年の入国管理法改正により、翌春から新たに外国人労働者が入国しやすくなった。こうした問題が明らかになると、「外国人など多く入国させない方がよい」と主張をする一部の人が存在する。しかし、この問題の背景には、大学が「全入」時代で学生数が足りず、大学が倒産に結びつかないよう、「背に腹は代えられぬ」ということで留学生を大量に入学させている現状がある。もちろん、そのような短絡的な発想をもっている大学がすべてではないことは注記しておく。そのような状況が高等教育機関として望ましいわけがない。大学の教育の質が保てないまま、人数だけを保つのに必死であることが想像できる。「留学生頼み」ともみられるある私立大学では年間に何度も「日本語教師」を公募しているのをみかけたことがある。

実は別の報道によると、首都圏の大学を中心にレベルが上がっている、という話を聞いたことがある。普通の一般入学試験だと、合格しても入学を辞退して併願校へ流れるケースをあらかじめ想定し、定員より多めの人数を合格させておくのが大学入試の鉄則である。しかし、政府の「指導」などにより、首都圏の大学を中心に定員を大幅に上回って合格者を出せなくなった。あまり多く出しすぎる大学は補助金をカットするという対抗措置がなされたためだ。そこで、現在は、成績が中堅以下の大学にも成績上位大学に入れなかった生徒たちが流れてきて、定員を何とか保てている状態が続いている。ピラミッド状に高く積み上げたシャンパングラスに、最上位からシャンパンを注ぎ、上からダラダラと酒が溢れて下の段に流れ落ちてくる光景に似ているといっても過言ではない。

しかし、このような「留学生頼み」であるなど、まさに「棚からボタ餅」状態を期待するようでは、大学、とくに私立大学の将来は、ごく一部の上位校を除いて「先行き真っ暗」の状態だ。上記の大学とは別のある私立大学は、日本語専門学校を関連校として設立した所もあるようだ。留学生や外国人労働者は、景気次第で来日者数が大幅に減ることも考えなければならない。留学生にとってみれば、東アジアの国々のうち、必ずしも日本でなければならない、と考えている人がどれだけいるのか疑問が残る。私立大学にとり、大学同士の合併などの例外も視野に入れた抜本的な対策が必要になっているのだ。

3 訪日外国人の学習制度確立を

改正入管法が2019年4月1日から施行され、新しい外国人労働者の入国が緩和された。コロナウイルスが蔓延する直前までは、介護や建設などの分野で外国からの労働者が増える見通しだった。コロナウイルスが蔓延し、人流抑制措置が取られている各職場でも、外国人の従業員を雇う機会が増えている。例えば、東京都内の住宅地においても、日本式一戸建て住宅を現場監督以外は全員外国人労働者が建設している、という光景もよくみられる。そこで、外国人がこれまで以上に入国してくる中で必要なのは、勉強をする機会である。「外国人の子どものことか」と思う人もいるかもしれないが、実は成人も含まれる。

２０１７年2月に教育機会確保法が施行されたことにより、日本人の児童や生徒の中で、いじめなどが原因で不登校が続いたまま、形式的に義務教育を終えた人は、中学卒業後もきちんとした教育を受けたいと思うことがあるかもしれない。また、外国人も正式な学校に行って、日本の中学校レベルの基本的な学習をしたいと考える人もいるだろう。そうした人のために、これまでなかなか光が当たらなかった「夜間中学」という学校制度に注目が集まり、各地で増設計画が進んでいる。

例えば、東京都内などには8校あるが、これは極めて例外的で、県議会で初めて1校を増設する決議がなされた、というニュースを地元地方紙の電子版の報道でみかけるようになった。その背景には、今後は法律の文字通り、「教育の機会確保・均等」ということで、夜間中学が各地にできる政府の方針が示されている。教育機会確保法施行後、初めて埼玉県川口市と千葉県松戸市に夜間中学が開校した。私はフィールドワークの一環として、川口市の教育の歴史や事情について調べたが、川口の夜間中学（正式には夜間学級）には1期生として約80人の新入生が学ぶそうだ。諸事情や経緯があり、たいていの夜間中学は公立中学の「夜間学級」とか「○○分校」などと呼ばれる。夜間だけの中学というわけではなく、昼間部と夜間部の二本立てが多いようだ。

一方、中学卒業後に彼らを受け入れるのは、おおよそ都道府県立の定時制高校が多い。もちろん、日本語が堪能で全日制普通課程の高校に行く人もいるが、普通は、入試倍率の高くない高校に入る人が少なくない。以前、定時制高校の先生やＮＰＯ、ボランティアなどが集まる会合に参加したことがある。とくにご苦労されているのが、高校の先生だった。通常のカリキュラムのほかに、「取り出し授業」といって、いわゆる補習をするわけだが、「日本語が苦手」、「日本語はある程度わかるが、教科が理解できない」など外国人生徒のニーズに合わせて尽力されている様子だった。日本語教師の資格も改正されることも国などの方針として視野に入っているようだが、具体策は不明だ。

国際化とは、単に日本人が外国語を学ぶ機会を増やすだけでなく、外国人住民のような国内における少数派の人々も暮らしやすくすることを指す。政府や地方自治体あるいは受け入れ企業などにはこうした姿勢が求められるはずだ。

④ 外国人の日本語教育を具体化させよ

国内で暮らす外国人への日本語教育の充実を促す「日本語教育推進法」が２０１９年６月、参院本会議で可決、成立した。直後の報道によると、国や自治体には日本語教育を進める責務、企業には雇用する外国人に教育機会を提供するよう努める責務があると明記されているそうだ。外国人材の日本社会への定着を後押しする目的があるようだ。

この背景には外国人労働者の受け入れを拡大する改正出入国管理法が4月に施行され、政府は新たな在留資格である「特定技能」を設け、外国人の単純労働に門戸を開き、介護や建設など14業種について制定時点から5年間で最大34万人の外国人受け入れを見込んでいることが挙げられる。その後、コロナウイルス蔓延などが発生したため、計画は延びるものと考えられる。ただし一方ではすでに2017年2月、教育機会確保法が施行され、外国人の子どもや成人が多く学ぶ夜間中学の全国的な設置が見込まれるなど、ここ数年、外国人を取り巻く環境が法律や制度面で拡充しているのがわかる。さらなる背景には、日本の超高齢社会、少子化、および人口減少に伴う地方衰退、労働力不足などさまざまな社会問題がある。

しかし、本当に問題だと私が思うのは、法律や制度ばかりができて、中身が伴っていないことだ。もちろん、政府や行政機関の活動はすべて法律に則った行為であり、その基準を外れることは不可能だと言っても過言ではない。例えば、学校一つとっても学校教育法や教育基本法がある。それらを逸脱した行為は、まずできないと言ってもよいだろう。ただし、前述したような外国人を取り巻く法律が成立したのであれば、早速行動に移すことが求められる。

私は研究目的で日本に住む外国人の教育問題について取り組んでいる。外国人が多く住む、比較的、製造業が盛んな地域に、記者として、また研究者として取材や調査をしてきた。現在、全国的に問題になっているのは、３００万人近く住んでいる外国人住民に対して、日本語教育が制度として確立されていない面である。夜間中学生の大半が外国人で、公立学校の場合でも、もちろん学習指導要領をもとに授業が行われているが、それ以外に補習などの形で外国人生徒に日本語教育がなされている。学校であれば専任の教諭が、また、ボランティア教室であれば一般住民が日本語の教師役になっている。そこで、日本語教師の正式な制度化が求められて今回のような法律制定となったはずだが、資格認定の仕方や選抜方法など現時点で詳細が明らかになっていない。

日本は移民政策をとらない方針だが、これほど増え続ける外国人に対して、日本の経済界もいまや外国人材に頼らなければ、この人手不足の難局は乗り切れないとされている。外国人住民をも含めた「誰も取り残さない社会」を構築するために、日本語教師、あるいは日本語科教諭の立場の明確化は、まさに喫緊の課題なのだ。

5 夜間中学の問題は日本経済の問題

「夜間中学」と聞くと、昔であれば経済的に恵まれない家庭の子どもなどが通いつつも、高度経済成長期以降は減少傾向にあった。そうした中で、２０１７年に教育機会確保法という法律ができ、各都道府県に最低一つは今後、夜間中学を作ろうという動きが出ている。夜間中学をめぐっては歴史的な背景や解釈の違いから、正式には「公立中学夜間学級（あるいは夜間分校）」というのが普通だった。しかし、超党派の国会議員による増設促進の運動も進み、東京都内にはすでに8校の夜間中学があるほか、2019年4月には埼玉県川口市と千葉県松戸市に新たに夜間中学が開設された。その後も、単に昼間の公立中学の「夜間部（二部授業）」という位置づけではなく、単独の夜間中学開設の動きが加速しており、国内の企業でも直接・間接的に関わる課題にもなってきているのだ。入管法改正により、外国人労働者が増えることが見込まれるようになったためである。2000年代前半ごろにはすでに経済界からも、今後、人口減少が続く日本経済にとり、外国人労働者は欠かせない存在になる、といった主旨の発言が出ていた。今後、各企業においても日本で小さいころから公教育を受けた、海外にルーツをもつ若者が入社してくるケースが増えるものと考えられる。

2019年8月24、25の両日、埼玉県さいたま市と川口市で、「夜間中学増設運動全国交流集会」が開催され、私も参加した。そういった場面で「夜間中学」という場合、「自主夜間中学」も含まれる。「自主夜間中学」とは、ボランティアの住民が自主的に外国人住民に日本語を教えるほか、義務教育は終えたものの、諸事情によりきちんと通学して学習できなかったいわゆる「形式卒業者」の日本人で、学齢期を過ぎた人に対する学習支援も含まれている。とくにこの自主夜間中学の関係者を中心に、まずは、地域による夜間中学新設の偏りをなくし、地元にも公立夜間中学を新設してほしい、という活動を行っているのが普通だ。実際、川口や松戸のように公立夜間中学ができた地域もあれば、地域によってはまだ見通しが立っていない所もある。首長や教育行政担当者の考え方に温度差があることがわかってきた。交流集会には北海道から九州まで各地の自主夜間中学のスタッフを中心に、約１００人が結集した。コロナウイルス蔓延後は開催が開かれない年があるが、それまでは東日本と西日本と交互に会場を決めて、各地から夜間中学開設の希望を訴えたり、住民中心の活動報告を行ったりしていた。

しかし、単に「開設して」と求めるのは簡単だが、例えば県庁と市町村の予算配分をどうするのかとか、まずは市民に「ニーズ調査」をしようというレベルで、なかなか話が前に進まない地域が少なくない。これは当然、地元の住民から出される税金によって校舎の増改築や教員の人件費などが充てられるため、要望があったからといってすぐに開設することができない点は十分理解すべきだろう。

ただし、夜間中学は単に教育問題の一部ではなく、日本企業の外国人労働者の生活を充実させるために、まず日本語をしっかり覚える機会を提供することが役割の一つともいえる。もちろん、日本語教師の位置づけもまだあいまいであり、何でも夜間中学に課題を押し付けることも問題が残る。しかし、こうした課題は単に外国人の子どもやその家族、増設を望む活動をしている住民だけに関連するのではなく、日本経済の問題にも直結することを忘れてはならないだろう。

6 外国人労働者脱出による労働力問題を考える

コロナウイルス問題が深刻になる中、各企業が頭を抱えていることが何点かある。労働者の出勤自粛や短時間労働などがその一つと思われるが、本書のこれまでの項目でも取り上げてきている、外国人労働者問題をある視点から考察してみたい。

現在、国内の在留外国人は約３００万人で、半分程度が正規、非正規ともに何らかの職に就いている。その外国人労働者たちが、コロナウイルス蔓延による国や自治体の政策の影響を受けて、国外脱出をしたり、国内でも自宅待機の状態になったりしている。国側は現状では「移民」を受け入れないことになっている。しかし、少子化の影響も相まって、製造業などを中心に外国人労働者に頼らざるを得なくなっている。

２０１９年4月に労働法が改正され、外国人労働者を受け入れやすい状況に環境を整えたばかりだった。その矢先のコロナ問題で、実際、緊急事態宣言が国内で発出された直後などは、外国人の姿が見られなくなった。このほかにも、海外からの、あるいは日本国内の日本人の観光客さえも激減した。東京ではコロナ問題が起こるまで、平日でもＪＲ山手線などは大きなキャリーバックを持った外国人旅行者で満員だった。それが、２０２０年のコロナウイルス蔓延を機に外国人観光客の姿は確実に減っている。逆に考えると、どれだけ日本の経済や社会が、外国人を中心とした観光客に頼っていたかがわかる。

ところで、在留外国人をめぐっては、教育の機会確保、とくに日本語を学習する機会も奪われている。２０１７年に教育機会確保法が施行されたのを機に、全国に公立の夜間中学を作る動きが盛んになりつつあった。夜間中学は不登校などの経済的、精神的な事情を抱えていたり、学齢期を超えても学びなおしたい日本人に加え、日本語学習を希望したりする外国人の生徒も同じくらいの割合で通うことが想定されていた。また、そういった公的な施設がまだ存在しない地域では、住民ボランティアが中心となった日本語教室、中には「自主夜間中学」と名付けられた団体も多く活動している。

前者の公立学校では教育委員会などの指示で、ほとんどが２０２０年４月中まで休校措置がとられたのは、昼間の普通学級と同じようだ。さらに後者の住民による日本語教室も地元の状況次第で休まざるを得ない状況になっている。それは、教室を開く場所が、公民館など公共施設が多く、学校以外の公共施設も緊急事態宣言などが発出されると同時に、事実上、立ち入りできないため、日本語教室も開けない状態が続いている。

私もボランティアに加わり、外国人に日本語を教えたことが何度かある。とにかく彼らは日本語学習に熱心だ。外国人労働者の必要性は約20年前に経団連首脳も認め、メディアでも報じられた。経済界の懸案事項でもあったはずだ。コロナ問題は、単に日本企業の生き残りだけでなく、今後の労働力確保の問題にもつながることを忘れてはならないのだ。

7 超高齢化で若者と共生社会の実現を

２０２１年時点の日本人の平均寿命は、女性が87歳、男性が81歳（いずれも小数点以下を切り捨てて表記）と、過去最高を更新している。一方、ある報道で紹介された、介護を受けたり、寝たきりになったりせずに生活できる「健康寿命」は、２０１６年時点で、男性が72歳、女性は74歳（同上）

で、これをどれだけ平均寿命に近づけられるかが医療や福祉の課題だとも言える。健康のままで平均寿命に近づけることが理想ではないだろうか。

その年齢差は別にしても、職場において「元気な」高齢者が多くなったのは確かなようだ。持病があっても仕事や趣味を続ける人も少なくない。そうした高齢者の人たちは、高度経済成長を現役世代として活躍し、日本が経済大国と言われるまで努力されたのは事実だ。「その人でなければ」と自他ともに認めるほどに、仕事の上での知恵や技術を持っている人たちなのだ。今後は70歳以上の「定年」もあり得る時代になると思われる。

ただ、弊害もある。若い世代がいつまでも育たない、管理職に就けない、という課題も同時に抱えているのではないか。高度経済成長時代であれば「モーレツ社員」などという言葉が流行し、実際、働いた分に比例して「青天井」で残業代が稼げる時代もあった。だから喜んで残業し、「仕事が趣味だ」と言い切る人も少なくなかった。もちろん営業の現場などでは厳しく叱責される「体育会」のノリの職場が多かったようだ。しかし、現代の若い世代、とくに20代から30代前半ぐらいまでは、逆に少子化で一人っ子が多く、大事に育てられた世代でもある。２０００年代前半ごろから様相も変わってきた。リストラや「勝ち組・負け組」と言った言葉が流行し、大企業とて倒産することもあるのが当然になった。価値観が変わり、当時のアイドルの歌のように「ナンバーワンよりオンリーワン」と教育現場でも強調されるようになった。ある国会議員が「2番じゃだめなんですか」などと質問し、問題になったこともあった。

現代の日本に必要なのは、もちろん経済成長だが、超高齢世代と若い世代の職場や社会における役割分担というか、価値観を共有し、理解し合う共生社会づくりが大事になってきている。少なくとも超高齢世代による、「努力は報われる」という昔の職場での自慢話や体育会系のノリは、若い世代には敬遠されるどころか、全く「意味不明」とポカンとされてしまうのが現実であることを理解しておいた方がよいだろう。もちろん、若い世代も多種多様な価値観を受け入れる努力が求められていることは言うまでもない。

8 「異質」を受け入れない体質は時代遅れ

女子テニスの大坂なおみ選手が全米オープンのシングルスで優勝し、日米で賞賛された。東京五輪の最終聖火ランナーも見事に務めたのは記憶に新しい。テニスの技術もさることながら、彼女が人々の心を動かしたのは、米国内における黒人に対する差別に抗議し続ける姿勢を大会中、貫いたことだった。決勝戦まで、被害にあった黒人の名前をマスクに記すなど人種差別に抗議し続け、大会で勝ち抜いていった。私はテニスの試合そのものいついては詳しくないが、人種差別に抗議する1人の人間として信念を貫いた大坂選手の姿勢には、心から敬意を表したい。

いろいろな人種の集合体である米国で、どうして黒人に対する差別が現代においても続くのか、とても不思議でならない。しかし、こうした差別意識は、米国だけの出来事ではなく、日本でも十分起こり得る話かもしれない。日本では、とくに政府・与党はわが国では「移民」は受け入れない、という大前提で政策を続けている。在留外国人は本書執筆時点で300万人に迫る勢いだが、基本的には彼らは在留外国人とか外国人労働者と呼ばれ、「移民」とは分類されていない。そもそも日本には「移民法」は存在しないのだ。しかし、現実をみると、10代から20代ほど、外国人と接する機会は多く存在している。両親の両方またはどちらかが、「外国にルーツをもつ」人たちだが、その子どもは日本で生まれ育っている、という人が増えてきた。子どもたちのクラスメートにそういった外国にルーツをもちながら、日本語しか話せない人が増えていて、むしろ若い世代ほど、外国の人と共に過ごす生活には慣れている、と言えるかもしれない。

2015年に朝日と読売の両新聞社が移民の是非をめぐる大掛かりなアンケート調査を実施したところ、中高年ほど「移民」受け入れには消極的であることがわかった。たいてい、「移民」反対の人は、「犯罪が増える」とか「日本人の労働の機会が奪われる」という共通の理由を主張する人が多いようだった。しかし、ほぼ同時期の犯罪白書などの公的なデータをみる限り、外国人の増加に比例して外国人犯罪が増えている、という結果は出ていなかった。一方、日本は少子高齢化社会を迎え、人手不足だ。建設現場などでも外国人労働者を多く見かけるようになった。

高齢者ほど、実は今後、介護などの面で、外国人の支援を受ける機会が増えることは確実だ。自分の身内である高齢者の面倒をみてくれるヘルパーさんや福祉施設職員が外国人であることは、すでに現実的になっている。「異質」と感じられる存在を受け入れるか否かではなく、老若男女、どういった世代や性別においても多様性を認め合い、共存する時代が訪れているのだ。

9 人生100年時代、忘れてはならない秘訣

現在の日本は、人生100歳まで長生きしてもおかしくない、長寿大国になった。男女とも平均寿命が80歳を超え、元気な高齢者が増えている。10年以上前なら、9月の敬老の日が近づくと、新聞のローカル面では、地元で100歳を迎えた高齢者宅に市長などが訪問し、記念品を渡すとともに、記者たちは長寿の秘訣などをインタビューするのが通例だった。しかし、最近はそうしたニュースが掲載されなくなった。ただ、当然のことながら、80歳以上の人でも元気に活動している人と、身体や脳の働きが衰えていく人と差がでているようだ。その差は、常に「時代」についていっているかどうかがカギのようだ。

1995年にウインドウズ95が発売されて以来、私たちの職場や家庭にパソコンが導入された。それ以前ならコンピューターと言えば理系の人しか操作できないものと思われていたのが、アイコンをクリックすればインターネットにもつながり、ワードやエクセルなど自由自在に操作できるのが可能になった。当時、在職していた人でその後、定年退職した人であれば、パソコンに苦手意識があっても、最低限の操作はできる。しかし、その後、携帯電話がスマートフォンに変化するなど、科学技術は進化を遂げてきている。そうした時代の動きについていけない人は身体や脳の衰えが早いのではないか……。

これは筆者自身の感想レベルではあるが、単なる想像レベルとも言えないのではないだろうか。

さらに大事なのは、いくら身体面で寝込むほどの持病がなくても、他人とコミュニケーションをとり、新しい話題から目を背けないように努めることが大事なのではないか。これは現役時代にある程度の役職に就き、役職の高さだけで部下が命令を聞いてくれていた人ほど、昔話、つまり自分の過去の自慢話だけに固執して、新しい話題づくりができない人が少なくないようだ。先日、現役世代に民間企業で責任ある役職を経験した80代の人の講演を聞いたが、その人の言動を振り返ると、長年の知人や集積した知識は判別できるものの、最近の初対面の人や新しい考え方はなかなか受け入れにくい様子だった。

話す内容も30年前の状況そのもので、何も発展性や新鮮さがみられなかった。例えば、その席に出席予定の男性が来ていないのを知り、彼は「最近は男性でも土曜日曜は家族サービスをしなければならないから」などと述べていた。現代社会では男性も女性も家族サービスは曜日に関係なく行うことが常識で、わざわざ「サービス」という語も用いない、ごく当たり前の行動になっているのではないだろうか。

実はその人の過去の「功績」は、周囲の人が称えて持ち上げているだけで、それ以上の長所は何も見当たらなかった。もちろん、高齢者を敬う心を若い世代は決して忘れてはならないことは言うまでもない。しかし、過去よりも現在、そして将来において何ができるのか、何をすべきなのか、何に挑戦できるのか、長寿社会になった私たちが今後、常に意識し続ける必要があるテーマかもしれない。

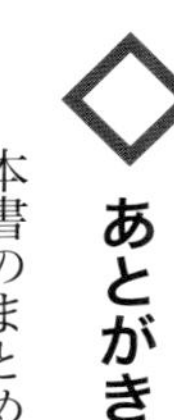

あとがき

本書のまとめ作業が最終段階に入った2022年1月、まだ、コロナウイルスの感染者数が毎日のニュースで報じられる日々が続き、コロナワクチンの3回目接種を推進するニュースが続いていた。スマートフォンを覗けば、私の地元で発生した事件や事故の情報が自動的に配信され、警戒できる社会になった。これほど自分の身近なところで毎日、事件や事故が起きていることに驚くとともに、ニュースがどれだけ速報性を求められているかがわかる。

しかし、ちょっとした一地域の出来事だと思われることでも、日本全体に関わるテーマを投げかけているという事実は、政治や経済だけでなく、すべてのジャンルでいえることだ。本書の「はじめに」の項目で私は、新聞を読む若者が減っていることに触れた。今後、「新聞紙」という「文化」は、一部の「経営体力」がある新聞社を除き、まもなく淘汰される時代になった。電子版やデータベースが中心になったとしても、社会の出来事に関心をもつことは国民の義務ではないだろうか。

もちろん、ニュースを伝える記者の側も、仮に給料が新入社員レベルに落ちこんでもジャーナリストとしての誇りと社会的な役割を忘れてはならないことは言うまでもない。私は大学や予備校で教えながら、ジャーナリストは、例えば教育欄一つをとってみても、世の中の出来事や動向、傾向をきちんと伝えていないのではないか、と疑問に感じることが多々ある。

本書を自発的に手にとってくださった方々は、比較的、社会の動きに敏感であり、「志の高い」人ではないかと私は考える。どうか、社会の動き、報道、ニュースに時折触れ、その情報をもとに自分でも意見をもってみることを忘れない生活習慣を続けてほしいと思う。その際に私のような意見を「ひとまとめ」にする方法を参考にしてみてほしい。

末筆になったが、本書執筆にあたり、初版同様、改訂新版の発刊に理解を示し、尽力くださった揺籃社編集部の山崎領太郎氏に心から感謝申し上げたい。

著者　大重　史朗

2022年4月吉日

大重史朗（おおしげ・ふみお）

1964年生まれ。早稲田大学卒業後、産経新聞、朝日新聞などで記者を続け、2007年、ジャーナリストとして独立。その後もニュース週刊誌『AERA』で社会問題や医療・福祉に関する取材を経験。

現在、首都圏の大学や医学部受験予備校などを中心に「メディア学入門」や「メディアリテラシー」「現代社会論」「キャリアデザイン論」、「小論文」「面接対策」の授業を担当している。

研究者としての研究内容はジャーナリズム論、メディア論、多文化共生論で、2021年、一般社団法人多文化教育研究所を東京都内に設立し、代表理事に就任した。

日本メディア学会、日本出版学会会員をはじめ、多くの学術学会や研究者らで作る勉強会に会員として参加している。

★本書に対するご意見はメールアドレス　mediareviewtokyo@yahoo.co.jp でお受けしますが、匿名での送信はお断りするとともに、必ずお返事できるとは限りませんので、ご了解ください。

★本書は2019年から2020年にかけて執筆した、時事問題を扱ったコラムを再構成したものです。コラム掲載後、場合によっては本書発刊後に、社会制度や仕組み、法律などが整備・改正されているケースがあります。

〔改訂新版〕
大学生・新社会人のための　ニュース解体深書
――多様化する現代社会をメディアと生きる

2015年８月20日　初版第１刷発行
2020年５月１日　初版第２刷発行
2022年４月18日　改訂新版第１刷発行
2023年２月20日　改訂新版第２刷発行

著　者　大 重 史 朗
発行所　揺　籃　社
〒192-0056 東京都八王子市追分町10-4-101 ㈱清水工房内
TEL 042-620-2615　URL http://www.simizukobo.com/

 ISBN978-4-89708-482-4 C0036